Knaur

Sven-David Müller

Diabetes-Ampel

- BE und Kalorien sowie
- Fett-, Satt- und GLYX-Faktor
- für Typ 1 und Typ 2 Diabetiker

www.knaur.de

Inhalt

Folgekomplikationen vermeiden

Wie Sie die Tabelle nutzen können

Sehr geehrte Damen und Herren,

in den letzten Jahrzehnten wurde in den Industrienationen ein stetiger Anstieg chronischer nicht übertragbarer Krankheiten festgestellt. Dabei gelten Übergewicht und Adipositas, das metabolische Syndrom, Diabetes mellitus und Herz-Kreislauf-Erkrankungen als zumindest anteilig ernährungsabhängig und vom Lebensstil mit beeinflusst. Dass der Diätetik bei Diabetes mellitus eine wichtige Rolle in der Vorbeugung und Therapie zukommt, ist heute unbestreitbar wissenschaftlich nachgewiesen.

Diabetes mellitus ist eine chronische Stoffwechselerkrankung, bei der der Blutzuckerspiegel über die Normalwerte hinaus erhöht ist. Die direkte Ursache für die erhöhten Blutzuckerwerte ist das Fehlen oder verminderte Wirken des in den Betazellen der Langerhans'schen Inseln der Bauchspeicheldrüse gebildeten Insulins. Dieses Hormon ist für die Blutzuckerregulation maßgeblich verantwortlich. Als Folge des Diabetes mellitus, der umgangssprachlich oft als Zuckerkrankheit bezeichnet wird, können die Körperzellen nicht ausreichend mit Glukose versorgt werden, der Blutzuckerspiegel steigt und bei Überschreiten eines bestimmten Blutzuckerspiegels – der so genannten Nierenschwelle – wird die Blutglukose mit dem Harn ausgeschieden.

Diabetes mellitus ist eine klassische Volkskrankheit. Allein in Deutschland sind aktuell rund 6 Millionen Menschen davon betroffen. Die Weltgesundheitsorganisation WHO beschreibt eine weltweite Diabetes-Epidemie. Insbesondere der Typ 2 Diabetes, der vorwiegend ältere übergewichtige Menschen betrifft, nimmt ständig zu. Ein Typ 2 Diabetes mellitus bricht aus, wenn bei einer genetischen Prädisposition Menschen übergewichtig werden und sich zu wenig bewegen. Diabetes ist eine schwerwiegende Erkrankung, die niemals auf die leichte Schulter genommen werden darf. Diabetes mellitus ist in Deutschland die häufigste Ursache für einen tödlichen Herzinfarkt, für das Nierenversagen und die Dialysepflicht, die Amputation der unteren Extremitäten sowie die Erblindung.

Der Diabetes mellitus erfordert eine hohe Eigenverantwortung bei den Betroffenen. Große Teile der Therapie übernehmen gut geschulte Diabetiker heute selbst. Ohne die aktive Mithilfe des Patienten lässt sich die Krankheit nicht beherrschen. Insbesondere der Ernährung kommt bei Diabetes mellitus eine wichtige Bedeutung zu. Die Regeln der diabe-

tesgerechten Ernährung unterlagen in den vergangenen Jahren einem extremen Wandel. Übergewichtige Diabetiker bedürfen einer anderen Diättherapie als insulinpflichtige schlanke Patienten.
Das Besondere dieser Tabelle ist, dass sie sich gleichermaßen an Typ 1 und Typ 2 Diabetiker wendet, da sie den Kaloriengehalt und die Berechnungseinheiten von über 2600 Lebensmitteln aufzeigt. Aktuelle Erkenntnisse aus der Ernährungsmedizin sind in diese Tabelle eingeflossen, denn sie schließt die Wertigkeit der verschiedenen Fettsäuren und des glykämischen Index sowie der glykämischen Ladung mit ein. Sie berücksichtigt dabei die neuen Empfehlungen der Deutschen Diabetes Gesellschaft (DDG).

Durch Gestaltung nach den Ampel-Prinzip signalisiert die Diabetes-Ampel dem Nutzer, ob Lebensmittel und Speisen sehr empfehlenswert, akzeptabel oder weniger empfehlenswert sind.

Ich wünsche der Diabetes-Ampel eine weite Verbreitung, und Ihnen wünsche ich gute Blutzuckerwerte.

Prof. Dr. med. Hubertus Wietholtz
Direktor der Medizinischen Klinik III
des Klinikum Darmstadt
Schwerpunkt Gastroenterologie und
Stoffwechselkrankheiten

Liebe Leserinnen und Leser,

in den vergangenen 30 Jahren gab es bei den Regeln der diabetesgerechten Ernährung einen stetigen und extremen Wechsel. Als ich vor fast 30 Jahren selbst an Diabetes mellitus erkrankte, war an eine liberale Ernährungsweise noch nicht zu denken. Alles musste abgewogen und berechnet werden. Das ist heute nicht mehr so. Im Zuge des ernährungsmedizinischen Fortschritts zeigte sich, dass die Ernährungsregeln bei Diabetes mellitus zu ändern sind. In den vergangenen Jahren brachten Studien völlig neue Erkenntnisse über die Zusammensetzung der Diabeteskost. Leider wurden diese wichtigen Forschungen und Untersuchungen bisher noch nicht für die Diabetiker dargestellt.

Die Diabetes-Ampel zeigt Ihnen deutlich, was gut und was weniger gut für Sie ist. Sie ist die erste Tabelle, die sich gleichermaßen für Typ 1 und Typ 2 Diabetiker eignet, und sie enthält weit mehr Lebensmittel und Angaben als andere Tabellen. Es ist sehr wichtig, Diabetiker gut in Ernährungsfragen zu schulen. Eine Studie, die im Jahr 2002 im British Medical Journal erschien, zeigt dies deutlich. Durch ihren Signalcharakter hilft die Diabetes-Ampel allen Diabetikern dabei, ihre Krankheit zu beherrschen. Gerade Typ 2 Diabetiker haben mit dieser Tabelle die Möglichkeit von aktuellen ernährungsmedizinischen Erkenntnissen zu profitieren und ihre Blutzuckerwerte dauerhaft zu normalisieren.

Wussten Sie, dass allein die Auswahl der aufgenommenen Fette die Insulinwirkung und die Ausprägung von diabetesbedingten Folgen beeinflusst? War Ihnen bekannt, dass der HbA1-Wert durch Vitamin C gesenkt werden kann und Diabetiker über den Urin viel Zink und Chrom verlieren? Kennen Sie den glykämischen Index oder den Begriff »glykämische Ladung« und war Ihnen bekannt, dass Graubrot, Brötchen und Weißbrot den Blutzucker rascher als Äpfel, Birnen und sogar Zucker steigern? Ist Ihnen bewusst, dass große Mengen Eiweiß die Nieren schädigen und gesättigte Fettsäuren aus Butter und fettem Fleisch, fetter Wurst oder fetten Milchprodukten zu Arteriosklerose aber auch zu Insulinresistenz führen? Wussten Sie, dass Bewegung, ungesättigte Fettsäuren, Zink, Chrom und L-Carnitin der Insulinresistenz entgegenwirken?

Ich habe für Sie die wissenschaftliche Literatur der vergangenen 30 Jahre gesichtet und zusammengefasst. Daraus ist diese Tabelle entstanden, die Ihnen mithilfe der Ampelfarben zeigt, was günstig, neutral und schlecht für Sie ist. Mit dieser Ampel können viele Typ 2 Diabetiker ganz leicht ihren Blutzuckerspiegel natürlich senken und viele sogar völlig gesunden. Das handliche Format macht diese Diabetes-Ampel zu Ihrem ständigen Begleiter.

Bei Diabetes mellitus geht es um weit mehr als nur um den erhöhten Blutzucker. Nur wenn Blutzucker, Blutdruck und Blutfettwerte in die richtige Bahn gelenkt werden, kann den drastischen Folgen des Diabetes vorgebeugt werden. Dies gelingt Ihnen durch optimale Ernährung und eventuell durch Einnahme von speziellen Vitaminen und Mineralstoffen. Übersteigt der Nüchternblutzucker den Wert von 126 mg/dl, diagnostiziert der Arzt einen Diabetes mellitus. In Deutschland leiden 7 bis 8 Prozent der Bevölkerung an der chronischen Stoffwechselkrankheit. Die westliche Lebensweise, die von Bewegungsmangel und Überernährung geprägt ist, führt zum Diabetes mellitus Typ 2.

Ich danke meinem verehrten ehemaligen Chef, Herrn Universitätsprofessor Dr. med. Dipl. Biochemiker Siegfried Matern, dass er meinen beruflichen Werdegang stets wohlwollend förderte. Dankbar bin ich auch Frau Privatdozentin Dr. med. Christine Metzner und Herrn Professor Dr. med. Helmut Mann, die meine Entwicklung seit Jahren begleiten und mir helfend zur Seite stehen.

Ich wünsche Ihnen allzeit gute Blutzuckerwerte!

Sven-David Müller
Diätassistent und
Diabetesberater DDG

Vom honigsüßen Durchfluss

Honigsüßes Durchfließen ist die wortwörtliche Übersetzung der lateinischen, bzw. griechischen Worte »Diabetes« = »Durchfluss« und »mellitus« = »honigsüß«. Umgangssprachlich wird Diabetes mellitus in der Regel mit »Zuckerkrankheit« übersetzt. In der Antike und im Mittelalter diagnostizierten die Ärzte Diabetes anhand einer erhöhten Harnausscheidung und des süßen Geschmacks des Urin. Diabetes mellitus ist eine chronische Stoffwechselerkrankung. Der Stoffwechsel sorgt im menschlichen Körper für den Um-, Auf- und Abbau der Nährstoffe. Bei Diabetikern ist der Kohlenhydrat-, Eiweiß- und Fettstoffwechsel gestört, da ihre Bauchspeicheldrüse zu wenig oder kein Insulin produzieren kann oder das Insulin nicht in die Zellen transportiert werden kann (Insulinresistenz).

Diabetes mellitus: Es gibt verschiedene Typen

In Deutschland sind wenigstens 6 Millionen Menschen an Diabetes mellitus erkrankt. Diese chronische Stoffwechselstörung ist durch einen erhöhten Blutzuckerspiegel gekennzeichnet. Die Vererbungsrate liegt bei Typ 1 Diabetikern zwischen 10 und 20 Prozent, bei Typ 2 Diabetikern bei bis zu 60 Prozent. Mediziner diagnostizieren einen Diabetes mellitus, wenn der Blutzucker nach Mahlzeiten den Wert von 126 mg/dl oder nüchtern 110 mg/dl übersteigt. Diabetologen unterteilen den Diabetes mellitus in zwei Gruppen:

1. Diabetes mellitus Typ 1
2. Diabetes mellitus Typ 2

Der Typ 2 Diabetes betrifft vorrangig Menschen, die älter als 40 Jahre und übergewichtig sind. Oft gibt es in ihrer Familie schon weitere Mitglieder, die an Diabetes mellitus erkrankt sind. An Typ 1 Diabetes erkranken vorwiegend junge schlanke Menschen. Der Typ 1 Diabetes bricht aus, wenn der Organismus die insulinproduzierenden Zellen in der Bauchspeicheldrüse zerstört. Typ 1 Diabetiker benötigen vom ersten Tage an Insulin, das sie spritzen müssen. Typ 1 Diabetiker müssen ihre Kohlenhydratzufuhr auf die Insulindosis und –wirkung abstimmen. Dafür berechnen sie die Kohlenhydrate nach Brot- oder Berechnungseinheiten (= BE). Eine BE enthält laut Diätverordnung 12 Gramm verwertbare Kohlenhydrate. Eiweiß, Fett und Ballaststoffe werden nicht nach BE berechnet. Typ 2 Diabetiker müssen in der Regel nicht die Berechnungseinheiten beachten.

Sieben »magische« Regeln für Typ 1 Diabetiker

1. Kohlenhydrat- und ballaststoffreich, aber eiweißreduziert essen – nach BEs berechnet
2. Ein- und mehrfach ungesättigte Fettsäuren bevorzugen
3. Reichlich Bewegung und Sport
4. Übergewicht und reichlichen Konsum von gesättigten Fetten oder Eiweiß vermeiden
5. Zucker ist im Rahmen von ballaststoffreichen Mahlzeiten unter BE-Berechnung erlaubt
6. Wenig Alkohol zu den Mahlzeiten oder besser Verzicht auf Alkohol
7. Ausreichend Vitamine und Mineralstoffe (täglich 500–1000 mg Vitamin C, 15–30 mg Zink sowie 200–400 µg Chrom) einnehmen

Sieben »magische« Regeln für Typ 2 Diabetiker

1. Übergewicht langsam, aber dauerhaft durch Kalorienreduktion (1200–1800 Kilokalorien) abbauen
2. Reichlich Bewegung
3. Kohlenhydrat- und ballaststoffreich, aber zuckerarm essen (eventuell zu den Mahlzeiten 1–2 Esslöffel Zellulose (z. B. BMI 23) zur verbesserten Sättigung und wasserlösliche Ballaststoffe (z. B. Mucofalk) zur langsamen Blutzuckersteigerung nach den Mahlzeiten einnehmen)
4. Pflanzliche Fette bevorzugen (z. B. Oliven- oder Rapsöl als Brat- und Salatöl sowie Halbfettmargarine oder bei erhöhten Blutfetten eine phytosterinhaltige Diätmargarine wie becel proaktiv als Aufstrichfett)
5. Zucker durch Süßstoff ersetzen
6. Kost nach Kalorien und nicht nach BE berechnen
7. Wenig Alkohol zu den Mahlzeiten oder besser Verzicht auf Alkohol

Sie sollten eher die Kalorien im Auge behalten, da sie häufig Übergewicht abbauen müssen. Diabetes mellitus ist eine ernst zu nehmende Krankheit, denn die erhöhten Blutzuckerwerte schädigen den Körper und es kann zu Folgekomplikationen an den großen und kleinen Blutgefäßen sowie den Nerven kommen. Augen, Nieren und Füße können geschädigt werden. Der Typ 2 Diabetes ist die häufigste Ursache für einen Herzinfarkt.

Typ 1 Diabetes durch eine Autoimmunkrankheit

Die genauen Ursachen des Typ 1 Diabetes sind noch nicht ganz aufgeklärt. Eine genetische Komponente ist aber weniger bedeutsam als beim Typ 2 Diabetes. Zum Typ 1 Diabetes kommt es oftmals im Zusammenhang mit Virusinfektionen. Der Körper versucht die Viren zu zerstören und schädigt dabei auch die insulinproduzierenden Zellen, die schließlich zugrunde gehen. Diesen Vorgang bezeichnet der Arzt als Autoimmunkrankheit. Nach kurzer Zeit ist eine Insulinproduktion nicht mehr möglich und der Diabetes mellitus Typ 1 liegt vor. In Deutschland leiden rund 250 000 Menschen an Typ 1 Diabetes. Rund 25 000 Kinder und Jugendliche in Deutschland haben einen Typ 1 Diabetes und jedes Jahr erkranken weitere 1000 junge Menschen. Um das 14. Lebensjahr herum bricht diese Krankheit besonders häufig aus.

Verteilung Typ 1 und Typ 2 Diabetiker:

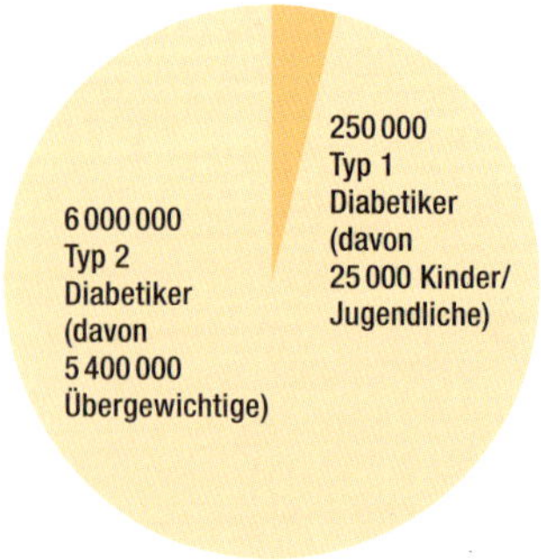

Insulinpflichtige Diabetiker:

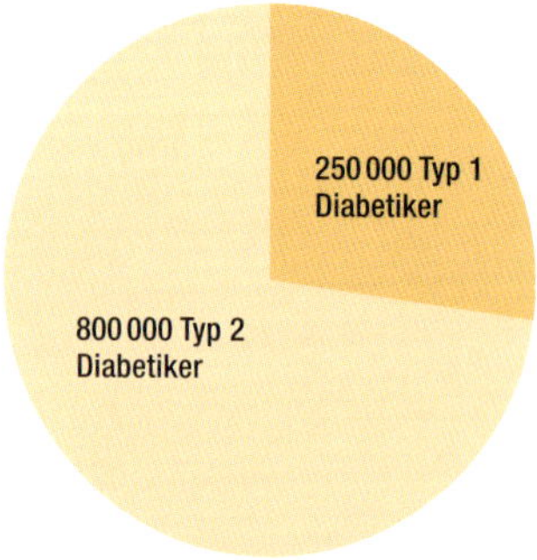

Therapieziele bei Typ 2 Diabetes

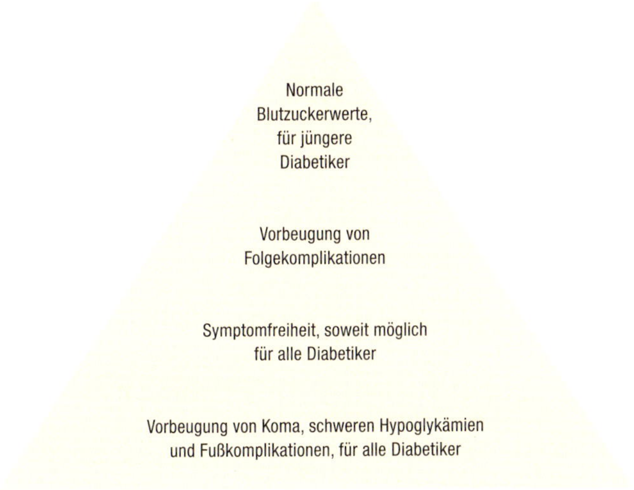

Typ 2 Diabetes kann heilbar sein!

Mindestens 90 Prozent der Diabetiker gehören zum Typ 2. Davon wiederum sind etwa 90 Prozent übergewichtig. Durch den Abbau von Übergewicht normalisieren sich bei Typ 2 Diabetikern die Blutzuckerwerte. Daher ist die erste und wichtigste Therapiemaßnahme bei diesen Diabetikern eine dauerhafte Gewichtsreduktion durch reichlich Bewegung und eine kohlenhydrat- und ballaststoffreiche aber fettarme Ernährungsweise. Typ 2 Diabetiker leiden in der Regel bei der Diagnosestellung nicht unter einem Insulinmangel, sondern einer Insulinresistenz, die durch Bewegungsarmut, Übergewicht und erbliche Faktoren hervorgerufen wird. Es ist nicht sinnvoll vor einer Gewichtsreduktion sofort Medikamente, die Sulfonylharnstoffe (Glibenclamid) enthalten, einzunehmen. Diese kurbeln die Insulinproduktion noch weiter an und fördern die Insulinresistenz. In der Regel verbessern sich die Blutzuckerwerte allein durch eine Gewichtsreduktion und Bewegung entscheidend. Insgesamt sollte die Gewichtsreduktion etwa 10 Prozent vom Ausgangsgewicht ausmachen (zum Beispiel von 85 Kilogramm auf 76,5 Kilogramm). Typ 2 Diabetiker profitieren von einer Kalorienberechnung und nicht von einer Berechnung der Brot- oder Berechnungseinheiten.

Jeder Mensch hat Blutzucker – Diabetiker haben zu viel davon

Jeder Mensch benötigt Energie, damit er leben kann. Diese Energie stammt aus der Nahrung, die wir aufnehmen. Ein Bestandteil der Nahrung sind die Kohlenhydrate. Im Verdauungstrakt werden die Kohlenhydrate überwiegend zu Traubenzucker abgebaut. Über die Dünndarmschleimhaut aufgenommen, erscheint dieser dann im Blut und heißt jetzt Blutzucker. Jeder Mensch benötigt diesen Blutzucker als Energielieferant. Über die Blutgefäße mit ihren feinsten Verästelungen erreicht der Blutzucker jede Zelle. Um in die Zellen zu gelangen, ist das Hormon Insulin notwendig. Es schließt sozusagen die Zellentüren auf, und der Blutzucker kann in die Zellen gelangen. Bei Gesunden liegt der Blutzuckerwert vor einer Mahlzeit zwischen 50 und 100 mg/dl (oder zwischen 2,8 und 5,6 mmol/l). Diabetes mellitus wird diagnostiziert, wenn der Blutzuckerspiegel nüchtern wiederholt bei Werten über 110 mg/dl (6 mmol/l) liegt.

Insulinmangel oder Insulinresistenz

Die Bauchspeicheldrüse, die der Arzt als Pankreas bezeichnet, produziert das Hormon Insulin. Insulin schwimmt im Blut umher und schließt die Zellen für den Blutzucker auf. Dadurch reguliert es den Blutzuckerspiegel. Die Bauchspeicheldrüse des Gesunden produziert in 24 Stunden 40 Einheiten Insulin und gibt dieses sowohl kontinuierlich als auch kohlenhydratbezogen an das Blut ab. Ein Anstieg des Blutzuckerspiegels führt zu einer Insulinfreisetzung. Insulin stimuliert die Eiweiß-, Glykogen- und Fettsynthese. Gleichzeitig hemmt es den Fett- und Eiweißabbau und die Zuckerneubildung in der Leber. Bei Diabetikern produziert die Bauchspeicheldrüse kein Insulin (Insulinmangel), oder das Insulin kann nicht wirken, da der Körper eine Resistenz dagegen entwickelt hat. Schon 1889 beschrieben von Mehring und Minkowski erstmalig, dass eine in der Bauchspeicheldrüse gebildete Substanz den Blutzuckerspiegel senkt. 1921 gelang es den kanadischen Wissenschaftlern Banting und Best Insulin herzustellen und die Insulinbehandlung beim Menschen einzuführen. Sie erhielten dafür den Nobelpreis für Medizin.

Diabetes entwickelt sich zur Epidemie

In den kommenden 10 Jahren verdoppelt sich nach Einschätzung der Weltgesundheitsorganisation WHO die Zahl der Diabetiker. Demnach leben in Deutschland im Jahr 2012 rund 12 Millionen Diabetiker. Schon jetzt sind die Kosten ernährungsbedingter und ernährungsabhängiger Krankheiten einer der wichtigsten Kostenfaktoren im Gesundheitswesen. Jede dritte Mark der Krankenkassen wird dafür ausgegeben.

Diabetesanstieg weltweit

1997	124 Mio.
2001	150 Mio.
2010	210 Mio.
2025	300 Mio.

Diabetikerzahlen in Deutschland

Typ 1	250 000
Typ 2	6 000 000
Gesamt	6 250 000
Dunkelziffer	mindestens 1 000 000

Risikofaktoren: Fehlernährung und Übergewicht

Rund die Hälfte der Bevölkerung in Deutschland ist übergewichtig. Jedes vierte eingeschulte Kind leidet an deutlicher Vermehrung des Fettgewebes (Adipositas). Etwa 80 Prozent der adipösen Jugendlichen werden auch adipöse Erwachsene. Von 1984 bis 1991 nahm die Zahl der Adipösen in Deutschland um 12 Prozent zu. Die tägliche Energiezufuhr in Deutschland liegt laut Ernährungsbericht der Deutschen Gesellschaft für Ernährung (DGE) e.V., Bonn, bei rund 3000 Kilokalorien, wobei der größte energetische Anteil aus den täglich aufgenommenen 130 bis 140 Gramm Fett und 100 Gramm Zucker entstammt. Zusätzlich konsumiert der Durchschnittsdeutsche jährlich unglaubliche 11,8 Liter reinen Alkohol (138 Liter Bier, 24 Liter Wein und Sekt sowie 6 Liter Spirituosen). Diese Faktoren fördern die Entwicklung des Typ 2 Diabetes mellitus. Keine Patientengruppe profitiert so sehr vom Abnehmen wie Diabetiker. Da sich Übergewicht und Insulinresistenz gegenseitig verstärken, ist die Gewichtsreduktion das wesentliche Therapieziel.

Sieben »magische« Regeln gegen Übergewicht

1. Lebensmittel mit einer niedrigen Kaloriendichte bevorzugen
2. Ballaststoffreiche Kohlenhydratträger mit einem niedrigen glykämischen Index bevorzugen
3. Gesättigte Fettsäuren und Alkohol meiden, Zucker durch Süßstoffe austauschen
4. Jeden Tag reichlich Bewegung
5. Eventuell den Einsatz von zuckerfreien Formuladiäten als Mahlzeitersatz
6. In bestimmten Fällen Einnahme von Xenical (verschreibungspflichtig)
7. Einnahme eines Multivitamin-Mineralstoff-Präparates

Bewertung des Body-Mass-Index (BMI)

BMI	Beurteilung	Prozentualer Anteil in der Bevölkerung
< 18,5	Untergewicht	2,4 %
18,5 – 24,9	Normalgewicht	49,8 %
25 – 29,9	Übergewicht Grad I (moderates Übergewicht)	36,2 %
30 – 40	Übergewicht Grad II (schweres Übergewicht oder Adipositas)	11 %
> 40	Übergewicht Grad III (morbide Adipositas)	0,5 %

Quelle: Statistisches Bundesamt, 2002, Wiesbaden

Das Körpergewicht wird heute anhand des Body-Mass-Index (BMI) bewertet. Der Wert errechnet sich aus dem Körpergewicht und der Körpergröße.

$$\text{BMI} = \frac{\text{Körpergewicht}}{(\text{Größe})^2}$$

$$\text{Beispiel: BMI} = \frac{75\text{ kg}}{(1{,}70)^2} = 26$$

Bewegung als Therapie

Im Rahmen des Diabetes Prevention Program (NEJM, Feb. 7, 2002, 346, 393-403) zeigt sich, dass durch eine Gewichtsreduktion in Kombination mit einem Bewegungsprogramm 58 Prozent weniger Diabetes mellitus Fälle gesamt und 71 Prozent weniger in der Gruppe der über 60-jährigen auftraten. Ernährungs- und Bewegungstherapie waren zweimal wirksamer als das Medikament Metformin.

Es war bereits ausreichend, das Gewicht um 7 Prozent zu senken – also zum Beispiel von 92 auf 85,6 oder von 87 auf 80,9 Kilogramm.

Für eine optimale Diabetesbehandlung sind wöchentlich 150 Minuten Bewegung ausreichend – ideal sind 20 bis 25 Minuten täglich oder jeden zweiten Tag eine Stunde.

Regelmäßige Bewegung hilft Ihnen, überflüssige Pfunde zu verlieren.

Bedarfsgerechte Ernährung für Diabetiker

Die diabetesgerechte Ernährung wandelt sich in der Ausrichtung von einer kohlenhydratberechneten Ernährung, die lediglich die Blutzuckerwerte optimieren soll, zu einer Diätkostform, die reich an einfach ungesättigten Fettsäuren und ballaststoffreichen Kohlenhydraten mit niedrigem glykämischen Index ist. Diese Ernährungsweise reduziert die kardiovaskulären Risikofaktoren, bekämpft die Insulinresistenz sowie den Hyperinsulinismus und beugt Übergewicht vor.

Verteilung der Nährstoffe in der Ernährung von Diabetikern

- **10 – 20 %** Eiweiß (regelmäßig Fisch und Soja)
- **80 – 90 %** Kohlenhydrate und Fett (sehr wenig gesättigte Fettsäuren, ausreichend mehrfach ungesättigte Fettsäuren (Diätmargarine) und 60 bis 70 Prozent der Fettkalorien aus einfach ungesättigten Fettsäuren (Rapsöl/Olivenöl)

Meeresfische liefern Ihrem Körper Omega-3-Fettsäuren, hochwertige Proteine und wichtige Mineralstoffe.

Eiweiß und Fett in der diabetesgerechten Ernährung

Eiweiß und Fett steigern den Blutzucker nicht direkt, im Stoffwechsel beider Nährstoffe wird aber Insulin benötigt. Während gesättigte Fettsäuren die Insulinresistenz fördern, wirken sich einfach ungesättigte Fettsäuren und Omega-3-Fettsäuren (=Eicosane) positiv auf die Insulinwirkung sowie die Blutzuckereinstellung aus. Daher sollten Diabetiker gesättigte Fettsäuren weitgehend meiden und ausreichend einfach ungesättigte Fettsäuren sowie Omega-3-Fettsäuren aufnehmen. Phytosterine senken den Cholesterinspiegel deutlich, daher sollten Diabetiker ausreichend Phytosterine beispielsweise über eine Diäthalbfettmargarine mit Phytosterinen (z. B. becel pro.aktiv) aufnehmen. Durch hohe Blutzuckerwerte und oft hohe Blutdruckwerte sind die Nieren von Diabetikern gefährdet. Eine eiweißreiche Kost ist daher nicht zu empfehlen. Hochwertige Proteine aus Soja (-produkten) und Fisch sollten aber regelmäßig auf dem Speiseplan von Diabetikern stehen. Fisch enthält außerdem die wichtigen Omega-3-Fettsäuren sowie wichtige Mineralstoffe.

Der glykämische Index

Der glykämische Index ist ein Maß für die Höhe und die Geschwindigkeit der Blutzuckersteigerung nach dem Genuss eines bestimmten Nahrungsmittels. Er ist aber auch ein wichtiger Wert für die Gewichtsreduktion, denn Lebensmittel oder Speisen mit einem niedrigen glykämischen Index fördern die Sättigung und beugen dem Heißhunger vor. Populärwissenschaftlich wird der glykämische Index auch als Glyx bezeichnet, Wissenschaftler kürzen ihn mit »GI« ab. Die Wirkung der unterschiedlichen Nahrungsmittel und Speisen auf den Blutzuckerspiegel wird mit einem Standardprodukt – in diesem Falle Glukose (Traubenzucker) – verglichen. Teilweise wird auch Stärke als Vergleichswert herangezogen, daher gibt es in verschiedenen Büchern auch stark abweichende Werte. Der GI sinkt bei einer gemischten Mahlzeit in Abhängigkeit vom Fettgehalt durch die Veränderung der Magenentleerungszeit. Flüssiges verlässt den Magen prinzipiell rascher als Festes. Unerhitze, unverarbeitete und ballaststoffreiche Nahrungsmittel haben im Allgemeinen einen niedrigen glykämischen Index. Einfach ungesättigte Fettsäuren und Ballaststoffe senken den GI deutlich. Daher ist der Wert für Pellkartoffeln mit Rapsöl und Tomaten deutlich geringer als der von Pellkartoffeln mit Quark.

Am glykämischen Index wird auch deutlich, warum Weißmehlprodukte für Diabetiker ungeeignet sind. Ihr GI-Wert ist deutlich schlechter als der von Saccharose – also reinem Zucker.

Der glykämische Index verschiedener Nahrungsmittel

Glukose	100	Weizenvollkornbrot	40
Saccharose	59	Fertigmüsli	66
Fruktose	20	VK-Müsli ohne Zucker	50
Honig	87	Haferflocken	49
Cornflakes	80	Joghurt	36
Weißer Reis	72	Vollmilch	34
Gekochte Kartoffeln	70	Schokolade	22
Weißbrot	69	Frisches Gemüse (z. B. Tomaten)	< 15

Süßstoffe lassen Ihren Blutzuckerspiegel nicht ansteigen.

Ballaststoffe sind wichtig für Diabetiker

Untersuchungen bestätigen, dass sich Ballaststoffe, insbesondere wasserlösliche, positiv auf die Blutzuckersteigerung nach Mahlzeiten und die Insulinausschüttung auswirken. Ballaststoffe sind ein wichtiger Bestandteil der diätetischen Therapie des Diabetes mellitus. Eine ballaststoffreiche Kost ist voluminös und relativ energiearm. Daher ist sie ideal zur Vorbeugung und Behandlung von Übergewicht geeignet. In ihrer wasserlöslichen Form (insbesondere Plantago ovata Samenschalen) senken Ballaststoffe auch den Cholesterinspiegel – insbesondere das LDL. Diabetiker sollten jede Mahlzeit ballaststoffreich gestalten. Sie können zum Beispiel vor jeder Mahlzeit ein Ballaststoffkonzentrat (z. B. Mucofalk) mit reichlich Wasser einnehmen. Das reduziert den Hunger, den Cholesterinspiegel und lässt den Blutzucker vermindert ansteigen.

Süßstoff, Zuckeraustauschstoffe und diätetische Lebensmittel

Süßstoff ist das ideale Süßungsmittel für Diabetiker, da es weder blutzuckersteigernde Kohlenhydrate noch Kalorien enthält. Studien konnten zeigen, dass Süßstoffe gesundheitlich unbedenklich sind und bei der Gewichtsreduktion helfen. Zuckeraustauschstoffe wie Fruktose (Fruchtzucker) oder Isomalt können anstatt Zucker bei der Zubereitung von Kuchen eingesetzt werden. Neben sinnlosen diätetischen Lebensmitteln, sind Diabetiker-Konfitüre, Süßstoffe und Zuckeraustauschstoffe bei Diabetes mellitus durchaus sinnvoll. Außer bei Süßstoffen muss aber immer der Kalorien- und Kohlenhydratgehalt berücksichtigt werden.

Diabetiker sollten viel trinken – aber keinen Alkohol

Ihr Körper benötigt täglich rund 2 Liter Flüssigkeit. Ideale Getränke für Diabetiker sind Mineralwasser und süßstoffgesüßte Lightgetränke. Auch Kaffee und Tee dürfen täglich bis zu vier Tassen genossen werden, ohne dass mit negativen Folgen gerechnet werden muss.
Alkohol ist ungünstig für Diabetiker, da er zu schwerer Unterzuckerung (Hypoglykämie) führen kann. Bei Diabetikern, die Tabletten einnehmen, kann es zu schwerwiegenden Folgen aus der Wechselwirkung von Alkohol und Medikament kommen. Diabetiker sollten möglichst keinen oder nur sehr wenig Alkohol trinken.
Prinzipiell sollten Diabetiker ihren Arzt befragen, ob sie Alkohol trinken dürfen.

Nahrungsergänzungsstoffe für Diabetiker

Die Versorgung mit Mikronährstoffen wie Vitaminen (B-Gruppe, E, Beta-Carotin und C) sowie den Mineralstoffen Zink und Chrom hat eine viel größere Bedeutung für den Diabetiker als bisher angenommen wurde. Im Vergleich zu beispielsweise Schilddrüsenerkrankungen, die oftmals durch einen Mangel am lebensnotwendigen Jod bedingt sind, ist Diabetes mellitus nicht auf einen Mangel an Mikronährstoffen zurückzuführen. Die diabetische Stoffwechselsituation mit erhöhten Blutzuckerwerten bedingt erhöhte Verluste an vielen Mineralstoffen und wasserlöslichen Vitaminen. Außerdem führt die diabetische Stoffwechselsituation zu einer Steigerung des Vitamin- und Mineralstoffbedarfs, die kaum über die Ernährung zu decken ist. Dazu gehören insbesondere Jod, B-Vitamine, Vitamin C und E, Zink, Chrom und Magnesium. Daher ist es auch nicht verwunderlich, dass Diabetiker oftmals an einem Jod-, Zink-, Chrom- und Magnesiummangel leiden. Ein Jodmangel ist leicht über die Verwendung von Jodsalz (noch besser fluoridiertes Jodsalz) oder Jodtabletten auszugleichen. Der Magnesi-

Mineralwasser ist der ideale Durstlöscher – wählen Sie nach Geschmack Wasser mit oder ohne Kohlensäure.

ummangel kann in der Regel durch eine Kost, die reich an Obst, Gemüse und Vollkornprodukten ist, ausgeglichen werden. Ein Chrom- und Zinkmangel hingegen nicht. Hier ist die Einnahme von Präparaten aus diabetologischer Sicht dringlich anzuraten. Besonders wichtig ist das vor dem Hintergrund, dass beide Spurenelemente direkt Einfluss auf den Blutzuckerspiegel, die Insulinresistenz, die Insulinproduktion und Insulinwirkung nehmen. Für Diabetiker ist es besonders wichtig, ausreichend Vitamine aufzunehmen, und zwar sowohl antioxidativ wirkende Vitamine als auch die Vitamine B1, B6 und B12. Im Blut vorhandene Traubenzuckermoleküle können mit Eiweißen reagieren, dadurch können die kleinen und großen Blutgefäße geschädigt werden.

Tägliche Nahrungsergänzung für Diabetiker (z. B. durch 3 Tabletten Diazink Plus täglich)

Vitamin C	750 mg
Vitamin B1	11,7 mg
Vitamin B2	5 mg
Vitamin B6	13,5 mg
Biotin	300 μg
Niacin	250 mg
Folsäure	900 mg
Mangan	6 mg
Molybdän	150 mg
Vitamin E	135 IE
Magnesium	300 mg
Chrom	200 mg
Zinkhistidin oder -gluconat	15 mg
Selen	120 μg
Vitamin D	15 μg
β-Carotin	12 mg

Dies kann durch Vitamin C (Ascorbinsäure) reduziert werden. Da Ascorbinsäure prinzipiell die Oxidation verhindert und Diabetiker verstärkt zu oxidativem Stress neigen, sollten sie täglich zwischen 500 und 1000 mg (im Durchschnitt 500 mg) Vitamin C zuführen. Auch die bei Diabetikern erhöhte Zahl aggressiver freier Radikale, die Zellen schädigen, können durch Vitamin C unschädlich gemacht werden. Ebenso verhindern Vitamin E und Provitamin A (Provitamin = Vorstufe), Beta-Carotin, die Oxidation und die schädigende Wirkung von freien Radikalen auf die Gefäße. Finnische Wissenschaftler konnten jüngst nachweisen, dass ein Zusammenhang zwischen Diabetes und Vitamin E besteht. Je niedriger der Vitamin-E-Spiegel, umso höher ist das Diabetes-Risiko.

L-Carnitin spielt im Glucose-Stoffwechsel eine wichtige Rolle. Es stellt die Verbindung zwischen dem Kohlenhydrat- und Fettstoffwechsel dar. L-Carnitin kann die Nutzung der Glucose verbessern und wirkt positiv auf Fettstoffwechselstörungen (Hypertriglyceridämie), unter der Diabetiker häufig leiden. Auch die Symptomatik peripherer Neuropathien wird durch L-Carnitin günstig beeinflusst.

L-Carnitin verbessert die Insulinwirkung und erleichtert das Abnehmen.

Folgekomplikationen vermeiden

Ein erhöhter Blutzuckerspiegel führt bei Diabetikern zu schwerwiegenden Folgekomplikationen an Augen, Nieren, Nerven sowie den großen und kleinen Blutgefäßen. Diese Folgekomplikationen entwickeln sich aus den bei Diabetikern erhöhten Blutzuckerwerten, dem erhöhten Blutdruck und den erhöhten Blutfettwerten. Suchen Sie sich aus der Diabetes-Ampel vorwiegend grün gekennzeichnete Lebensmittel aus. Damit beugen Sie Diabetesfolgen weitgehend vor, wenn gleichzeitig Blutzucker, Blutdruck und Blutfette überprüft und eventuell medikamentös behandelt werden.

Es gibt keinen »leichten Alterszucker«

Gerade bei älteren Menschen führt der Diabetes mellitus zu vielen Folgekomplikationen, da Senioren oft schon unter Begleiterkrankungen leiden. Auch im Alter von 80 Jahren muss der Diabetes noch genauso ernst genommen werden, wie mit 23 Jahren.

Achten Sie auf Ihre Blutzuckerwerte

Ziel der diätetischen Therapie des Diabetes mellitus ist die Verbesserung der Gesamtstoffwechselsituation, insbesondere die Optimierung der Blutzuckereinstellung, um die Lebensqualität der Patienten zu erhöhen und den diabetesbedingten akuten und chronischen Folgekomplikationen vorzubeugen. Trotz unbestreitbarer Fortschritte in der Diabetesforschung, -schulung und -therapie wird die Lebenserwartung von Diabetikern nach wie vor durch das Auftreten schwerer Folgeerkrankungen begrenzt. Der Diabetes mellitus ist nach Angaben der Deutschen Diabetes Gesellschaft die häufigste Ursache für den Myocardinfarkt (akuter Verschluss eines Koronargefäßes), die dialysepflichtige Niereninsuffizienz, die Erblindung und die Amputation der unteren Extremitäten. Mikro- und Makroangiopathie (Schädigung der Blutgefäße) sind zu etwa 80 Prozent die Todesursache bei Diabetikern. Um das Risiko der diabetischen Folgekomplikationen zu reduzieren, ist die diätetische Therapie ein wesentlicher Bestandteil des Gesamttherapiekonzeptes bei Diabetes mellitus.

Blutdrucknormalisierung ist für Diabetiker besonders wichtig

Die englische Studie UKPDS zeigt eindrucksvoll, dass für Typ 2 Diabetiker die Einstellung des Blutdrucks auf normale Werte in Bezug auf Folgekomplikationen wichtiger ist als die Blutzuckereinstellung. Diabetiker sollten prinzipiell normale Blutdruckwerte von weniger als 130 zu 80 mmHg aufweisen. Ein niedriger Blutdruck beugt den Folgekomplikationen an den Nieren, den Augen und dem Herz-Gefäß-System wirksam vor.

Schulung und Selbstkontrolle verbessern die Blutzuckerwerte

Eine gute Diabeteseinstellung ist nur möglich, wenn die Patienten gut geschult werden. Die Schulung sollte strukturiert sein und den Empfehlungen der Deutschen Diabetes Gesellschaft entsprechen. Qualifizierte Ärzte tragen die Bezeichnung Diabetologe DDG.
Das Schulungsteam besteht aus Diabetologen, Diätassistenten oder Diplom Oecotrophologen sowie Diabetesberatern/ Diabetesassistenten DDG. Diabetiker sollten ihren Blutzucker oder Harnzucker sowie Blutdruck regelmäßig selbst kontrollieren und die erhobenen Werte in ein Tagebuch eintragen. Dieses Tagebuch ist Grundlage des Gesprächs mit dem behandelnden Arzt.

Sieben »magische« Regeln gegen Bluthochdruck

1. Übergewicht abbauen oder vermeiden
2. Ein- und mehrfach ungesättigte Fettsäuren bevorzugen und gesättigte Fettsäuren meiden
3. Reichliche Aufnahme von Kalium und Magnesium über Obst und Gemüse
4. Reichlich Bewegung in Form von Ausdauersport
5. Ausreichend Omega-3-Fettsäuren aufnehmen
6. Kein Alkohol, Nikotin und Lakritz
7. Regelmäßig Medikamenteneinnahme und Blutdruckselbstkontrolle

Ideal ist es natürlich, wenn der Blutdruck und der Blutzucker optimal eingestellt sind. Lebensmittel mit einem niedrigen glykämischen Index und ein normalisiertes Gewicht tragen dazu bei, diese Forderungen zu erfüllen. Jedes verlorene Kilogramm Gewicht senkt den Blutdruck um mindestens 1 mmHg. Durch eine Gewichtsreduktion von 12 Kilogramm in 6 Monaten kann also ein Patient seinen erhöhten Blutdruck von 150 zu 90 auf deutlich bessere Werte einstellen, ohne Medikamente einzunehmen. Durch eine Gewichtsreduktion, den Verzehr von reichlich Obst, Gemüse und vorwiegend einfach ungesättigten Fettsäuren, Verzicht auf Alkohol und ausreichend Bewegung können sogar Werte von bis zu 160 zu 100 mmHg ohne Medikamente normalisiert werden. Eine Salzreduktion ist weit weniger wirksam als bislang angenommen und wird nach aktuellen Studien heute nicht mehr empfohlen, es sei denn der Patient isst extrem viel Salz.

ACE-Hemmer sind nach Zusammenfassung der bisher vorliegenden Studien ideale Medikamente zur Normalisierung des Blutdrucks bei Diabetikern. Beta-Blocker sollten Diabetiker möglichst nicht einnehmen.

Hohe Blutfettwerte sollten gesenkt werden

Bei nahezu allen Diabetikern werden zu hohe Blutfettwerte diagnostiziert. In ca. 80 Prozent dieser Fälle handelt es sich dabei um eine Hypertriglyceridämie. Vor allem kommt es kurzfristig nach fettreichen Mahlzeiten zu einem teilweise drastischen und daher besonders gefährlichen Anstieg der Triglyceride (Neutralfette). Hypertriglyceridämie tritt häufig in Begleitung anderer Risikofaktoren auf und wird oft im Zusammenhang mit einer Insulinresistenz beobachtet. Diabetiker profitieren von einer

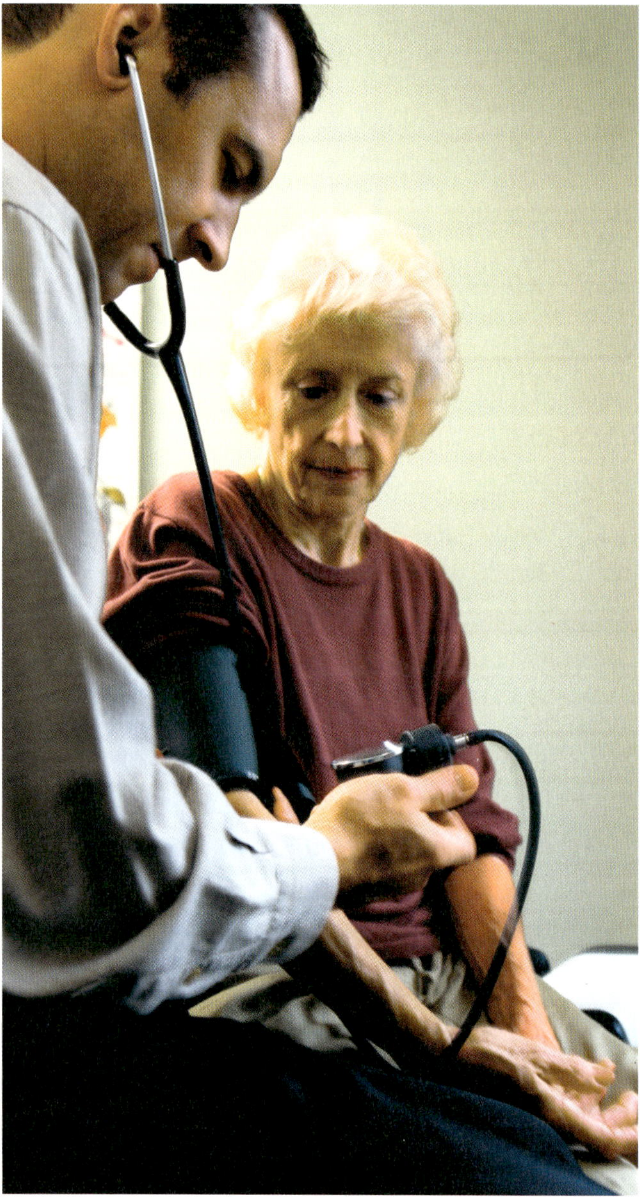

Sieben »magische« Regeln gegen erhöhte Triglyceridwerte im Blut

1. Das Gewicht normalisieren und den Diabetes mellitus besser einstellen
2. Weniger gesättigte Fettsäuren
3. Mehr ein- und mehrfach ungesättigte Fettsäuren
4. Reichlich Eikosane und eventuell Fischölkapseln
5. Alkohol meiden
6. Zuckerzufuhr reduzieren
7. Ballaststoffreiche Kohlenhydratträger mit einem niedrigen glykämischen Index bevorzugen

regelmäßigen Einnahme von Omega-3-Fettsäuren. Eicosapentaen- und Docosahexaensäure (EPA und DHA) besitzen vielfältige, sich ergänzende Eigenschaften. Vor allem ist dabei die ausgeprägt triglyceridsenkende Wirkung der Omega-3-Fettsäuren zu nennen. Darüber hinaus verbessern sie u. a. die Fließeigenschaften des Blutes und dabei besonders die Mikrozirkulation, wirken entzündungshemmend, senken den Blutdruck und stabilisieren den Herzrhythmus.

Die Nieren schonen

Die Nieren des Diabetikers sind durch erhöhte Blutzucker- und Blutdruckwerte gefährdet. Diabetiker sollten regelmäßig – auch zu Hause – ihre Blutdruckwerte bestimmen und in ein Tagebuch eintragen. Eine optimale Blutdruckeinstellung ist für die Nieren genauso wichtig wie eine gute Blutzuckereinstellung. Schon jetzt haben rund 30 Prozent der Patienten, die in Hausarztpraxen oder diabetologischen Schwerpunktpraxen behandelt werden, die Anzeichen einer diabetesbedingten Nierenfunktionsstörung. Von den 40 000 dialysepflichtigen Menschen in Deutschland ist jeder zweite Diabetiker. Davon wiederum gehören etwa 90 Prozent zum Typ 2 Diabetiker.

Die Blutdruckwerte von Diabetikern sollten 120 zu 80 mm Hg nicht überschreiten.

Die Augen »beachten«

Die Augen des Diabetikers sind insbesondere durch erhöhte Blutzuckerwerte und starke Blutzuckerschwankungen gefährdet. Viele der heute blinden Diabetiker könnten noch sehen, wenn Sie rechtzeitig zum Augenarzt gegangen wären.

Eine optimale Blutdruckeinstellung vermindert bei Diabetikern die Veränderung der kleinen Blutgefäße im Auge um 37 Prozent.

Die Füße pflegen

Bei Diabetes mellitus kommt es oft zum »diabetischen Fuß«. Diese Erkrankung kann mit der Amputation des Fußes enden. Diabetikerfüße sind von Durchblutungsstörungen und Nervenstörungen bedroht. Diabetiker verspüren oft Wunden nicht. Dadurch kommt es zu Infektionen, und am Ende steht im schlimmsten Fall die Amputation. Vorbeugend helfen tägliche sportliche Aktivitäten, die durchblutungsfördernd wirken. Diabetiker sollten ihre Füße pflegen und bei Bedarf zur medizinischen Fußpflege gehen. Sollten Sie Veränderungen oder Wunden an den Füßen bemerken, suchen Sie sofort den Diabetologen auf. Den diabetesbedingten Fußkomplikationen kann in gewissem Umfang durch die Gabe von B-Vitaminen vorgebeugt werden. Hochdosierte Vitamin B-Gaben können im Anfangsstadium eine Besserung bringen.

Wenn Diabetes an die Nerven geht

Die Schädigung der Nerven bei Diabetes ist schwer zu behandeln. Inwieweit die so genannte diabetische Neuropathie (Neuro = Nerven, pathie = Krankheit) durch eine zusätzliche Zufuhr von B-Vitaminen, die auch als Nervenvitamine bezeichnet werden, vorgebeut werden kann, ist noch nicht eindeutig geklärt.

Sieben »magische« Regeln gegen erhöhte Cholesterinwerte im Blut

1. Das Gewicht durch eine kalorienreduzierte Kost sowie mehr Bewegung normalisieren
2. Die Fettzufuhr auf 35 Energieprozent beschränken
3. Gesättigte Fettsäuren meiden und Fette mit einem hohen Anteil ein- und mehrfach ungesättigter Fettsäuren bevorzugen
4. Phytosterine zur Senkung des LDL
5. Reichlich wasserlösliche Ballaststoffe zur Senkung der Gesamtcholesterin- und LDL-Spiegel
6. Reichlich Sojaprodukte und bevorzugt ballaststoffreiche Kohlenhydratträger mit einem niedrigen glykämischen Index
7. Weniger cholesterinhaltige Nahrungsmittel

Wie Sie die Tabelle nutzen können

Die Diabetes-Ampel gibt Ihnen den Überblick über 2600 Lebensmittel, Speisen und Fertigprodukte. Damit die Tabelle gleichermaßen für Typ 1 und Typ 2 Diabetiker geeignet ist sowie falls notwendig beim Abnehmen hilft, enthält sie den Kaloriengehalt und die BE-Menge. Außerdem signalisiert die Diabetes-Ampel beim glykämischen Index, dem Fett- und dem Satt-Faktor, ob Lebensmittel gut ●, neutral ● oder weniger gut ● für Sie sind.
Diabetiker profitieren davon, wenn sie schlank sind, daher sollten alle Diabetiker »Kalorienbomben« meiden. Übergewichtige Diabetiker müssen auf die Kalorien achten und ihre drei täglichen Mahlzeiten so zusammenstellen, dass sie insgesamt zwischen 1200 und 1600 Kilokalorien enthalten. Typ 1 Diabetikern erleichtert die Angabe der Berechnungseinheiten die Insulindosierung. Wer abnehmen möchte, sollte Lebensmittel bevorzugen, die beim glykämischen Index und beim Satt-Faktor grüne oder zumindest gelbe Punkte aufweisen. Im Rahmen einer Mahlzeit sollten die verschiedenen Lebensmittel und Speisen durchschnittlich nicht schlechter als mit einem gelben Punkt bewertet sein. Ein Lebensmittel mit einem roten Punkt sollte dabei immer durch eines mit einem grünen Punkt ausgeglichen werden. Je mehr grüne Punkte Sie in einer Mahlzeit kombinieren, desto besser!
Der Fett-Faktor gibt an, welche Lebensmittel wenig Fett enthalten, und gleichzeitig signalisieren grüne Punkte auch, ob das Lebensmittel oder die Speise die richtigen Fettsäuren enthält.
Der GLYX-Faktor errechnet sich in diesem Buch aus den blutzuckerwirksamen, d. h. den Blutzucker steigernden, Kohlenhydraten unter Einflussnahme der Ballaststoffe und der wenigen Werte, die man bzgl. des glykämischen Index überhaupt hat. Somit sagt der GLYX-Faktor aus, ob ein Lebenmittel den Blutzucker rasch (rot), mittelmäßig (gelb) oder langsam (grün) steigert. Diabetiker sollten v. a. Lebensmittel mit gelbem und grünem GLYX-Faktor essen, bei rotem sollte in der Mahlzeit noch etwas grünes oder zumindest Ballaststoffe enthalten sein.

Abkürzungen

fe.	fett
F. i. Tr.	Fettgehalt in der Trockenmasse
ma.	mager
mf.	Mittelfett
netto	Inhalt von Konserven nach dem Abtropfen

Produktbezeichnung	Portion in g	kcal pro Portion	BE pro Portion	Fett-faktor	Satt-faktor	GLYX-faktor
A						
Aal gekocht in Dill	250	680	1,1	rot	rot	
Aal geräuchert	75	218		rot	rot	
Aal grün	250	530	0,5	rot	rot	
Acerola	120	24	0,4	grün	grün	gelb
Acerolasaft	200	48	0,8	grün	rot	rot
After Eight	8	34	0,5	gelb	rot	
Alberto						
– Cannelloni Spinaci	400	720	3,7	rot	rot	
– Lasagne Bolognese	400	644	4,3	rot	rot	
– Lasagne Vegetale	400	764	6,0	rot	gelb	
– Makkaroni al forno	400	756	6,3	gelb	rot	
– Microssa 3 Formaggi	250	555	4,6	gelb	rot	
– Microssa Salami	250	600	4,6	rot	rot	
– Microssa Spinaci e Prosciutto	250	503	4,4	gelb	rot	
– Pizza Diavolo	320	694	6,1	gelb	rot	
– Pizza Famiglia Quattro Formaggi	320	790	6,4	gelb	rot	
– Pizza Famiglia Speciale	320	778	6,1	gelb	rot	
– Pizza Hawaii	320	634	6,9	gelb	rot	
– Pizza Mozzarella	320	723	6,1	gelb	rot	
– Pizza Prosciutto	320	691	6,1	gelb	rot	
– Pizza Quattro Formaggi	320	806	6,1	gelb	rot	
– Pizza Rucola	320	768	6,4	rot	gelb	
– Pizza Salami	320	893	6,1	rot	rot	
– Pizza Speciale	320	736	6,1	gelb	rot	
– Pizza Spinaci	320	611	6,1	gelb	gelb	
– Pizza Tonno	320	765	6,1	gelb	rot	
– Pizza Vegetale	320	541	6,1	gelb	gelb	
– Tortellini-Gratin	400	816	5,0	rot	rot	
Alpro						
– Soja Cuisine	25	43	0,0	rot	grün	
– Soja Dessert Caramel	125	103	1,4	gelb	gelb	

Produktbezeichnung	Portion in g	kcal pro Portion	BE pro Portion	Fett-faktor	Satt-faktor	GLYX-faktor
– Soja Dessert Schoko	125	110	1,4	gelb	gelb	
– Soja Dessert Vanille	125	100	1,4	gelb	gelb	
– Soja Drink	200	72	0,1	rot	grün	
– Soja Drink Schoko	200	152	1,7	gelb	gelb	
– Soja Drink Vanille	200	140	1,5	gelb	gelb	
– Soja Yofu Bio-Natur	125	74	0,3	gelb	grün	
– Soja Yofu Erdbeer	125	104	1,2	gelb	gelb	
Altbier	330	135	1,0	grün	rot	rot
Altbierbowle	200	160	2,5	grün	rot	rot
Amerikaner	100	315	4,4	gelb	rot	gelb
Amicelli	13	63	0,6	rot	rot	
Ananas	125	74	1,4	grün	grün	gelb
Ananas gegart	125	76	1,4	grün	grün	gelb
Ananas kandiert	25	66	1,3	grün	rot	rot
Ananas Konserve netto	125	109	2,1	grün	gelb	rot
Ananaskonfitüre	25	70	1,4	grün	rot	rot
Ananassaft	200	118	2,2	grün	rot	gelb
Anchovis	5	16		gelb	rot	
Anis	1	4		grün	grün	
Anisplätzchen	50	193	3,2	grün	rot	rot
Apfel	125	60	1,1	grün	grün	gelb
Apfel gegart	125	68	1,2	grün	grün	gelb
Apfel getrocknet	25	70	1,3	grün	grün	gelb
Apfel Zwiebel Leberwurst, Du darfst	25	68	0,1	rot	rot	
Apfelauflauf	250	403	6,7	grün	gelb	gelb
Apfelessig	15	3		grün	rot	
Apfelkompott	250	158	3,0	grün	gelb	gelb
Apfelkuchen gedeckt Hefeteig	100	171	2,6	grün	gelb	gelb
Apfelkuchen gedeckt Mürbeteig	150	344	4,3	gelb	rot	gelb
Apfelmus	250	165	3,2	grün	gelb	gelb
Apfelpfannkuchen	250	360	2,9	rot	rot	gelb
Apfelsaft	200	98	1,8	grün	rot	rot

Produktbezeichnung	Portion in g	kcal pro Portion	BE pro Portion	Fett-faktor	Satt-faktor	GLYX-faktor
Apfelstrudel	150	248	3,3	gelb	gelb	gelb
Apfeltasche, McDonalds	80	220	2,1	grün	rot	
Apfelwein	130	86	0,8	grün	rot	rot
Appenzeller 50 % F. i. Tr.	30	116		rot	rot	
Apricot Brandy	20	61	0,5	grün	rot	rot
Aprikose	40	17	0,3	grün	grün	gelb
Aprikose gegart	50	22	0,4	grün	grün	gelb
Aprikose getrocknet	25	62	1,1	grün	grün	gelb
Aprikose Konserve netto	125	98	1,8	grün	gelb	rot
Aprikosenkompott	250	148	2,7	grün	grün	gelb
Aprikosenkonfitüre	25	68	1,4	grün	rot	rot
Aprikosensaft	200	88	1,5	grün	rot	rot
Arme Ritter	150	384	5,5	gelb	rot	gelb
Arrak	20	46		grün	rot	
Artischocken gegart	100	20	0,2	grün	grün	
Artischockenboden Konserve netto	150	24	0,2	grün	grün	grün
Aubergine	150	26	0,3	grün	grün	grün
Aubergine gegart	150	26	0,3	grün	grün	grün
Auberginen gefüllt überbacken	300	402	1,7	rot	rot	gelb
Auberginenscheiben fritiert	250	203	1,6	rot	grün	grün
Auster	100	63	0,3	grün	rot	gelb
Avocado	125	204		gelb	gelb	grün
Avocadocremesuppe	350	448		rot	gelb	
B						
Baby Pute	150	227		gelb	rot	
Bachsaibling	150	144		grün	rot	
Backobst	250	185	3,5	grün	gelb	rot
Backpulver	1	2		grün	rot	
Baguette	60	149	2,5	grün	gelb	rot
Baguettes, Iglo						
– Bolognese TK	125	281	3,0	gelb	rot	

Produktbezeichnung	Portion in g	kcal pro Portion	BE pro Portion	Fett-faktor	Satt-faktor	GLYX-faktor
– Champignon TK	125	269	3,1	gelb	rot	
– Hawaii TK	125	284	3,2	gelb	rot	
– Knoblauch Kräuter TK	125	451	4,6	gelb	rot	
– Provence TK	125	358	3,0	rot	rot	
– Salami TK	125	306	3,4	gelb	rot	
– Tomate-Käse TK	125	281	2,9	gelb	rot	
Baiser	25	91	1,7	grün	rot	rot
Baisertorte	120	368	4,1	rot	rot	gelb
Balisto						
– Getreide-Choco	41	209	1,9	rot	gelb	
– Getreide-Erdnuss	41	211	1,8	rot	gelb	
– Getreide-Joghurt-Creme	41	199	2,1	gelb	gelb	
– Joghurt-Beeren-Mix	41	200	1,8	rot	gelb	
– Schoko-Korn-Mix	41	206	2,0	rot	gelb	
– Schoko-Müsli-Mix	41	211	2,0	rot	gelb	
Bambussprossen	50	9		grün	grün	grün
Bambussprossen Konserve netto	50	7		grün	grün	grün
Banane	100	95	1,8	grün	gelb	rot
Banane gebacken	50	79	1,1	gelb	gelb	gelb
Banane getrocknet	25	73	1,4	grün	gelb	rot
Bananennektar	200	108	2,1	grün	rot	rot
Banjo	31	169	1,3	rot	rot	
Barbecuesoße	45	54	0,4	rot	gelb	grün
Barsch gegart	180	63		grün	rot	
Barschfilet	150	123		grün	rot	
Barschfilet gegart	150	140		grün	rot	
Basilikum frisch	5	2		grün	grün	grün
Basilikum getrocknet	1	3		grün	grün	grün
Bauchspeck Schwein	30	239		rot	rot	
Bauernbratwurst	150	459		rot	rot	
Bauernfrühstück	350	343	2,9	gelb	gelb	gelb
Bauernleberwurst	30	107		rot	rot	

Produktbezeichnung	Portion in g	kcal pro Portion	BE pro Portion	Fett-faktor	Satt-faktor	GLYX-faktor
Bauernsalat griechisch	150	165	0,3	rot	gelb	grün
Baumkuchen	50	214	2,2	rot	rot	gelb
Bavaria Blu 60 % F. i. Tr.	30	105		rot	rot	
Bayrische Creme	200	430	2,3	rot	rot	gelb
Bechamelsoße	60	55	0,3	rot	rot	gelb
Beefsteak deutsch	200	444	1,3	rot	rot	gelb
Beerenobst	125	89	1,6	grün	gelb	gelb
Beifuß frisch	5	2		grün	grün	grün
Bel Paese 50 % F. i. Tr.	30	112		rot	rot	
Bergkäse 45 % F. i. Tr.	30	115		rot	rot	
Berliner Knacker	150	489		rot	rot	
Berliner Pfannkuchen	60	193	2,2	rot	rot	gelb
Berliner Weiße mit Schuss	200	106	1,2	grün	rot	rot
Bi Fi	25	130	0,0	rot	rot	
Bienenstich Hefeteig	100	300	2,8	rot	rot	gelb
Bier alkoholarm	330	182	3,0	grün	rot	rot
Bier alkoholfrei	330	86	1,5	grün	rot	rot
Bier dunkel	330	122	0,8	grün	rot	rot
Bier Export hell	330	145	0,9	grün	rot	rot
Bier mit Limonade	330	112	1,4	grün	rot	rot
Bierhefe	5	17		grün	grün	
Bierhefe getrocknet	3	10		grün	grün	
Bierschinken	30	54		rot	rot	
Bierteig	100	226	2,6	grün	rot	gelb
Bierwurst	30	76		rot	rot	
Big Americans-Pizza, Dr. Oetker						
– Pizza California	490	1230	10,7	gelb	rot	
– Pizza Country	510	1178	11,5	gelb	rot	
– Pizza Hawaii TK	450	1049	11,0	gelb	rot	
– Pizza Supreme TK	450	1157	10,8	gelb	rot	
– Pizza Texas TK	450	1269	10,8	gelb	rot	
Big King, Burger King	211	591	2,5	rot	rot	

Produktbezeichnung	Portion in g	kcal pro Portion	BE pro Portion	Fett-faktor	Satt-faktor	GLYX-faktor
Big King XXL, Burger King	371	861	4,0	🔴	🔴	
Big Mäc, McDonalds	212	505	3,5	🔴	🔴	🟡
Big Sandwich, Schöller	71	155	1,6	🟡	🔴	
BigXtra Barbecue, McDonalds	297	863	4,8	🔴	🔴	
Bihunsuppe TK	250	130	1,3	🟢	🟡	
Birchermüsli m. Äpfeln u. Sahne	150	218	2,2	🟡	🟡	🟡
Birne	140	69	1,3	🟢	🟢	🟡
Birne gegart	125	69	1,4	🟢	🟢	🟡
Birne Konserve netto	125	105	2,1	🟢	🟢	🟡
Birnenkompott	250	150	3,0	🟢	🟢	🟡
Birnensaft	200	108	2,1	🟢	🔴	🔴
Biskuitrolle	100	273	4,8	🟢	🔴	🔴
Bismarckhering Konserve netto	65	117	0,2	🟢	🔴	
Bitterlikör	20	50		🟢	🔴	
Bitterschokolade	20	79	0,8	🔴	🟢	🟡
Blätterteig	100	375	3,0	🟡	🔴	🟡
Blattsalat mit Öl	100	65	0,2	🟡	🟢	🟢
Blattspinat	150	26		🟢	🟢	🟢
Blattspinat gegart	150	29		🟢	🟢	🟢
Blattspinat TK	150	27		🟢	🟢	🟢
Blaubeerkompott	250	243	4,5	🟢	🟢	🟡
Blauschimmelkäse 50 % F. i. Tr.	30	107		🔴	🔴	
Bleichsellerie gegart	150	26	0,2	🟢	🟢	🟢
Blumenkohl	150	35	0,3	🟢	🟢	🟢
Blumenkohl gegart	150	27	0,2	🟢	🟢	🟢
Blumenkohlcremesuppe	300	156	0,8	🔴	🔴	🟡
Blumenkohlsuppe	350	543	3,1	🔴	🔴	🟢
Blutwurst frisch erhitzt	100	340		🔴	🔴	
Bockbier hell	330	198	1,3	🟢	🔴	🔴
Bockshornklee	1	3		🟢	🟢	🟢
Bockwurst	115	340		🔴	🔴	
Bockwurst m. Brötchen u. Senf	180	554	2,9	🔴	🔴	🟡

Produktbezeichnung	Portion in g	kcal pro Portion	BE pro Portion	Fett-faktor	Satt-faktor	GLYX-faktor
Bockwurst m. Kartoffelsalat u. Senf	370	633	2,9	🔴	🔴	🟡
Bohne grün gegart	150	38	0,4	🟢	🟢	🟢
Bohne grün in Butter geschwenkt	250	183	0,7	🔴	🟢	🟢
Bohne grün Konserve netto	150	32	0,3	🟢	🟢	🟢
Bohne weiß	150	395	5,0	🟢	🟢	🟢
Bohne weiß gegart	150	168	2,1	🟢	🟢	🟢
Bohne weiß Konserve netto	150	98	1,2	🟢	🟢	🟡
Bohneneintopf weiß mit Rind	450	491	3,9	🟡	🟢	🟡
Bohnenkraut frisch	1	0		🟢	🟢	🟢
Bohnenkraut getrocknet	1	3		🟢	🟢	🟢
Bohnensalat grün mit Öl	150	102	0,4	🟡	🟢	🟢
Bonbons	5	20	0,4	🟢	🔴	🔴
Borretsch frisch	5	1		🟢	🟢	🟢
Borretsch getrocknet	1	2		🟢	🟢	🟢
Borschtsch	350	140	0,7	🔴	🟡	🟡
Bouillabaisse	400	308	0,4	🔴	🔴	🟡
Bouillon	300	147	0,2	🔴	🟡	
Bounty	57	268	2,7	🔴	🔴	
Bounty Miniatures	7	33	0,3	🔴	🔴	
Boysenbeere	125	43	0,6	🟢	🟢	🟡
Boysenbeere Konserve netto	125	93	1,7	🟢	🟢	🔴
Boysenbeerkonfitüre	25	67	1,4	🟢	🔴	🔴
Boysenbeernektar	200	100	2,0	🟢	🔴	🔴
Boysenbeersaft	200	78	1,2	🟢	🔴	🔴
Brandteig	100	201	1,3	🔴	🔴	🟡
Branntweinessig	15	3		🟢	🔴	
Bratapfel	200	204	2,8	🔴	🟡	🟡
Bratapfel mit Vanillesoße	250	190	2,7	🟡	🟡	🟡
Bratapfelkuchen TK	105	246	2,5	🔴	🔴	
Bratensoße Konserve	50	26	0,2	🟡	🔴	
Bratensoße Trockenpulver	3	4		🟡	🔴	
Brathering Konserve netto	200	554	0,7	🟢	🔴	

Produktbezeichnung	Portion in g	kcal pro Portion	BE pro Portion	Fett-faktor	Satt-faktor	GLYX-faktor
Bratkartoffeln	250	220	2,8	gelb	grün	gelb
Bratkartoffeln m. Speck u. Zwiebeln	350	364	3,5	gelb	gelb	gelb
Bratlinge vegetarisch	100	147	0,6	gelb	gelb	grün
Bratwurst	100	282		rot	rot	
Bratwurst geräuchert	150	431		rot	rot	
Bratwurst grob	150	470		rot	rot	
Bratwurst m. Brötchen u. Senf	180	475	2,7	rot	rot	gelb
Brause mit Fruchtgeschmack	200	84	1,7	grün	rot	rot
Brennnessel	150	74	0,6	grün	grün	grün
Brennnessel getrocknet	1	3		grün	grün	grün
Brennnesseltrunk	200	34	0,3	grün	rot	gelb
Bresso Feines Duo	30	56	0,1	rot	rot	
Bresso Frischkäse 60 % F. i. Tr.	30	72	0,1	rot	rot	
Bresso Weichkäse 68 % F. i. Tr.	30	126	0,0	rot	rot	
Brie 45 % F. i. Tr.	30	85		rot	rot	
Brioches ohne Füllung	100	268	2,9	rot	rot	gelb
Brokkoli	150	39	0,3	grün	grün	grün
Brokkoli gegart	150	35	0,2	grün	grün	grün
Brokkolicremesuppe	300	111	1,0	rot	grün	gelb
Brombeere	125	38	0,3	grün	grün	grün
Brombeere Konserve netto	125	93	1,5	grün	grün	rot
Brombeerkonfitüre	25	67	1,3	grün	rot	rot
Brombeersaft	200	68	0,7	grün	rot	gelb
Brotaufstrich 24 % Fett, Du darfst	25	59	0,0	rot	rot	
Brötchen	45	112	1,9	grün	gelb	rot
Brötchen mit Ölsamen	45	113	1,7	grün	gelb	rot
Brühe gekörnt	3	4		gelb	rot	
Brunch Streichrahm	10	25	0,0	rot	rot	
Brunnenkresse	25	5		grün	grün	grün
Buchecker	20	118	0,5	gelb	rot	gelb
Buchweizen geschält	40	136	2,4	grün	gelb	rot
Buchweizen geschält gegart	180	164	2,8	grün	gelb	rot

Produktbezeichnung	Portion in g	kcal pro Portion	BE pro Portion	Fett-faktor	Satt-faktor	GLYX-faktor
Buchweizen Vollkorn	40	136	2,4	○○●	○○●	○●○
Buchweizen Vollkorn gegart	180	196	3,4	○○●	○○●	○●○
Buchweizenmehl	10	35	0,7	○○●	●○○	●○○
Buchweizenvollkornbrot	60	129	2,1	○○●	○○●	○●○
Buchweizenvollkornmehl	10	34	0,6	○○●	○●○	●○○
Bückling	125	271		○●○	●○○	
Bulgur	180	585	10,3	○○●	○○●	○●○
Bum Bum, Schöller	55	156	1,3	●○○	●○○	
Burgunderwein	130	101	0,3	○○●	●○○	●○○
Buschbohne grün gegart	150	38	0,4	○○●	○○●	○○●
Buschbohne Konserve netto	150	32	0,3	○○●	○○●	○○●
Butter	20	148		●○○	●○○	
Butter halbfett	20	76		●○○	●○○	
Butter mit Kräutern	20	130		●○○	●○○	
Buttercremetorte Biskuit	100	316	2,6	●○○	●○○	○●○
Buttergebäck	50	249	2,5	●○○	●○○	○●○
Butterhörnchen	50	151	2,0	○●○	●○○	○●○
Butterkäse 45% F. i. Tr.	30	90		●○○	●○○	
Butterkeks	5	24	0,3	●○○	●○○	○●○
Butterkuchen	100	376	3,9	●○○	●○○	○●○
Buttermilch	200	72	0,7	○●○	●○○	○●○
Buttermilch m. Fruchtzubereitung	200	150	2,4	○○●	●○○	●○○
Butterpilz frisch	100	11		○●○	○○●	○○●
Butterpilz getrocknet	25	29		○●○	○○●	○○●
Butterpilz Konserve netto	100	11		○●○	○○●	○○●
Butterschmalz	15	132		●○○	●○○	
C						
Cabanossi	150	677		●○○	●○○	
Café au lait, Burger King	200	42	0,3	○●○	●○○	
Café Creme, Burger King	190	4	0,2	○○●	●○○	
Calippo Cola, Langnese	105	87	1,8	○○●	●○○	

Produktbezeichnung	Portion in g	kcal pro Portion	BE pro Portion	Fett-faktor	Satt-faktor	GLYX-faktor
Calvados	20	63		grün	rot	
Camembert 20 % F. i. Tr.	30	53		rot	rot	
Camembert 45 % F. i. Tr.	30	86		rot	rot	
Camembert 70 % F. i. Tr.	30	122		rot	rot	
Camembert gebacken	140	400	2,2	rot	rot	gelb
Campino Erdbeer	5	19	0,4	grün	rot	
Cannelloni überbacken	350	515	4,7	gelb	rot	gelb
Cappuccino, Burger King	190	34	0,3	rot	rot	
Capri, Langnese	60	52	1,1	grün	rot	
Caramac	30	168	1,4	rot	rot	
Caretta Orange, Schöller	61	57	1,2	grün	rot	
Caro Landkaffee Getränk	150	2	0,1	grün	rot	
Cashewnuss geröstet u. gesalzen	20	117	0,4	rot	rot	grün
Cashewnuss	20	114	0,5	gelb	rot	grün
Ceralisto Choco	37	191	1,8	rot	gelb	
Ceralisto Erdnuß	37	194	1,7	rot	gelb	
Ceralisto Joghurtcreme	37	181	2,0	gelb	gelb	
Cervelatwurst	30	111		rot	rot	
Cevapcici mit Reis u. Zwiebeln	150	354	1,6	rot	rot	gelb
Champ.cremes. Trockenprodukt	25	98	1,0	gelb	rot	gelb
Champagner	100	79	0,3	grün	rot	gelb
Champignon	100	15		grün	grün	grün
Champignon gegart	100	15		grün	grün	grün
Champignon getrocknet	25	53		grün	grün	grün
Champignon Konserve netto	100	14		grün	grün	grün
Champignoncremesuppe	320	102	0,2	rot	rot	gelb
Champignonrahmsoße a. Trockenpr.	60	53	0,3	rot	rot	
Champignons in Sahnesoße	250	178	0,4	rot	grün	grün
Cheddar 50 % F. i. Tr.	30	122		rot	rot	
Cheeseburger, McDonalds	117	302	2,6	rot	rot	gelb
Cheeseburger, Burger King	129	328	2,4	gelb	rot	
Cherry Brandy	20	61	0,5	grün	rot	gelb

Produktbezeichnung	Portion in g	kcal pro Portion	BE pro Portion	Fett-faktor	Satt-faktor	GLYX-faktor
Chester 45 % F. i. Tr.	30	110		rot	rot	
Chicken McNuggets, 6er, McDonalds	99	205	0,4	rot	rot	
Chicken Supreme, Burger King	237	631	4,2	rot	rot	
Chicken Supreme m. Käse, Burger King	250	674	4,3	rot	rot	
Chicoree mit Käse überbacken	150	108	0,2	rot	gelb	
Chicoree	50	9		grün	grün	
Chicoreesalat mit Öl	150	165	0,5	rot	rot	grün
Chilli con carne	250	200	0,6	rot	gelb	grün
Chilli Gewürz	1	3		gelb	grün	grün
Chillisoße mit Tomaten	20	25	0,4	grün	grün	gelb
Chinakohl	150	21		grün	grün	grün
Chinakohl gegart	150	18		grün	grün	grün
Chinesische Suppe	350	273	1,1	gelb	rot	gelb
Chio						
– Chips Hot Peperoni	25	138	1,1	rot	rot	
– Chips Red Paprika	25	138	1,1	rot	rot	
– Chips Salt and Vinegar	25	137	1,1	rot	rot	
– Chips Sour Cream and Onion	25	138	1,1	rot	rot	
– Flips Classic Peanut	25	122	1,2	gelb	rot	
– Jumbo Flips	25	121	1,2	gelb	rot	
– Tortilla Chips Nacho Cheese	25	125	1,4	gelb	rot	
– Tortilla Chips Original Salted	25	125	1,4	gelb	rot	
Choco Crossis	5	24	0,2	rot	rot	
Cidre lieblich	200	88	0,7	grün	rot	
Cidre trocken	200	74	0,4	grün	rot	
Clementine	40	18	0,3	grün	grün	gelb
Clementine Konserve netto	125	100	1,9	grün	gelb	rot
Clementinensaft	200	88	1,4	grün	rot	rot
Coca Cola	200	82	1,7	grün	rot	
Coca Cola Cherry	200	85	1,8	grün	rot	
Coca Cola light	200	2	0,0	grün	rot	
Cocktail Dressing Fertigprodukt	25	144		gelb	rot	

Produktbezeichnung	Portion in g	kcal pro Portion	BE pro Portion	Fett-faktor	Satt-faktor	GLYX-faktor
Cocktail Kirsche	25	66	1,3	○○●	●○○	●○○
Coco Pops	40	151	2,9	○○●	●○○	
Cognac	20	47		○○●	●○○	
Cola	200	122	1,8	○○●	●○○	●○○
Cola kalorienarm	200	8		○○●	●○○	○○●
Colori, Langnese	29	23	0,5	○○●	●○○	
Cordon bleu vom Kalb	150	275	0,9	●○○	●○○	●○○
Cordon bleu vom Schwein	150	326	1,2	●○○	●○○	○●○
Corned Beef	30	42		●○○	●○○	
Corned Beef deutsch Konserve	150	189		○●○	●○○	
Cornetto Bottermelk-Zitrone, Langnese	86	207	2,3	○●○	●○○	
Cornetto Erdbeer, Langnese	75	232	3,0	○●○	●○○	
Cornetto Haselnuss, Langnese	75	248	2,3	●○○	●○○	
Cornflakes	30	107	2,0	○○●	○●○	●○○
Country Burger, Burger King	227	521	4,5	●○○	●○○	
Couscous	250	565	6,7	○●○	○●○	○●○
Crema Puddingcreme Caramel	175	228	2,6	○●○	●○○	
Crema Puddingcreme Kokos	175	240	2,5	○●○	●○○	
Crema Puddingcreme Schoko	175	229	2,5	○●○	●○○	
Crème fraîche 30 % Fett	25	72		●○○	●○○	
Cremissimo, Langnese						
– Amarena	70	144	1,8	○●○	●○○	
– Nocciolato	70	155	1,6	●○○	●○○	
– Stracciatella	70	169	1,8	○●○	●○○	
– Vanille	70	153	1,6	○●○	●○○	
– Walnuss	70	188	1,7	●○○	●○○	
Crispy Chicken, Burger King	159	521	2,8	●○○	●○○	
Crispy Chicken mit Käse, Burger King	172	564	2,9	●○○	●○○	
Croissant	70	356	2,6	●○○	●○○	○●○
Croissant mit Schokolade	60	247	1,9	●○○	●○○	
Croque Mozzarella mit Tomaten	200	416	3,9	●○○	●○○	○●○
Croque Salami mit Salat u. Tomate	170	425	4,0	○●○	●○○	○●○

Produktbezeichnung	Portion in g	kcal pro Portion	BE pro Portion	Fett-faktor	Satt-faktor	GLYX-faktor
Cuja Mara Split, Langnese	70	96	1,3	○🟡○	🔴○○	
Curacao	20	64	0,5	○○🟢	🔴○○	🔴○○
Curry Bratwurst	150	410		🔴○○	🔴○○	
Curry Grillsoße	20	27	0,5	○○🟢	○🟡○	🔴○○
Curryketchup	20	22	0,4	○○🟢	🔴○○	🔴○○
Currypulver	1	3		○🟡○	○○🟢	
Currysoße indisch	60	38	0,3	🔴○○	○○🟢	○○🟢
Currywurst mit Curryketchup	100	264	0,2	🔴○○	🔴○○	
D						
Dampfnudeln	110	281	3,1	🔴○○	🔴○○	○🟡○
Danablu 50 % F. i. Tr.	30	104		🔴○○	🔴○○	
Danbo 45 % F. i. Tr.	30	97		🔴○○	🔴○○	
Dattel frisch	100	280	5,4	○○🟢	○○🟢	○🟡○
Dattel getrocknet	25	71	1,4	○○🟢	○○🟢	○🟡○
Debreziner	150	495		🔴○○	🔴○○	
Debreziner Bohnengulasch	350	322	1,0	🔴○○	○🟡○	○○🟢
Dessertwein	50	95	0,5	○○🟢	🔴○○	🔴○○
Deutsche Salami	30	110		🔴○○	🔴○○	
Diab.-marmelade m. Fruchtzucker	25	27	0,6	○○🟢	🔴○○	○🟡○
Diabetiker Eiswaffeln	20	89	0,5	○🟡○	🔴○○	○🟡○
Diabetiker Haferkeks	20	83	0,7	○🟡○	○🟡○	○🟡○
Diabetiker Nussnougatcreme	25	130	1,2	○🟡○	🔴○○	○🟡○
Diabetiker Vollkornzwieback	10	35	0,4	○○🟢	○○🟢	○🟡○
Diabetikerbier Pils	330	125	0,2	○○🟢	🔴○○	🔴○○
Diabetikerschokolade	20	82	1,1	○🟡○	○🟡○	○🟡○
Diabetikersirup	25	68	1,6	○○🟢	🔴○○	○🟡○
»Diabetikerzucker«	5	12	0,4	○○🟢	🔴○○	○○🟢
Diätfruchtbuttermilch Erdbeer	200	70	0,8	○○🟢	🔴○○	
Diätfruchtjoghurt	150	65	0,9	○○🟢	🔴○○	
Diätmargarine, becel	10	72	0,0	🔴○○	🔴○○	
Diät-Pflanzencreme, becel	10	65	0,0	🔴○○	🔴○○	

Produktbezeichnung	Portion in g	kcal pro Portion	BE pro Portion	Fett-faktor	Satt-faktor	GLYX-faktor
Diätspeiseeis	50	57	0,8	gelb	rot	
Dicke Bohne gegart	150	149	1,5	grün	grün	grün
Dicke Bohne Konserve netto	150	108	1,3	grün	grün	grün
Dicke Bohneneintopf mit Speck	450	756	5,0	gelb	grün	grün
Dickmanns						
Coco Cabana dunkel	8	41	0,3	rot	rot	
Coco Cabana hell	8	41	0,4	rot	rot	
– normal	28	102	1,6	gelb	rot	
– Mini	8	35	0,4	gelb	rot	
– Mini dunkel	8	35	0,5	gelb	rot	
– Mini Vollmilch	8	35	0,4	gelb	rot	
– Mini weiß	8	35	0,4	gelb	rot	
– Super	28	102	1,6	gelb	rot	
Dickmilch 1,5 % Fett	150	69	0,5	rot	rot	gelb
Dickmilch 3,5 % Fett	150	96	0,5	rot	rot	gelb
Dickmilch m. Früchten 1,5 % Fett	150	125	1,8	gelb	gelb	gelb
Dickmilch m. Früchten 3,5 % Fett	150	146	1,8	rot	rot	gelb
Die Ofenfrische Pizza, Dr. Oetker						
– Champignon	430	753	9,1	gelb	gelb	
– Gemüse	435	805	9,1	gelb	gelb	
– Margherita	350	721	8,6	gelb	rot	
– Paprika-Bolognese	400	788	8,9	gelb	rot	
– Peperoni-Salami	400	908	9,0	gelb	rot	
– Salami	380	874	8,9	gelb	rot	
– Schinken-Zwiebel Spezial	370	714	8,9	gelb	rot	
– Speciale	405	879	8,9	gelb	rot	
– Spinat	435	835	9,0	gelb	gelb	
– Thunfisch	420	848	9,1	gelb	rot	
– Vier-Käse	395	889	9,0	gelb	rot	
Dill frisch	5	3		grün	grün	grün
Dill Gewürz	1	3		grün	grün	grün
Dillgurke sauer	50	4		grün	grün	grün

Produktbezeichnung	Portion in g	kcal pro Portion	BE pro Portion	Fett-faktor	Satt-faktor	GLYX-faktor
Distelöl	12	105		○●○	●○○	
Dominosteine	48	185	2,9	○○●	●○○	○●○
Donauwellen	70	218	1,8	●○○	●○○	○●○
Döner Kebab	350	665	7,0	○●○	●○○	○●○
Donuts Choco	50	198	1,9	●○○	●○○	
Donuts Crocant	50	198	1,9	●○○	●○○	
Donuts mit Schoko, McDonalds	76	322	3,1	●○○	●○○	
Donuts mit Zucker, McDonalds	68	296	2,6	●○○	●○○	
Doppelbock	330	205	1,0	○○●	●○○	●○○
Dosenschinken	30	36		○●○	●○○	
Dr. Oetker						
– Crème Double	15	61	0,0	●○○	●○○	
– Crème fraîche Classic	15	45	0,0	●○○	●○○	
– Crème légère	15	26	0,1	●○○	●○○	
– Jobst Erdbeer	150	149	2,1	○●○	○●○	
– Jobst Himbeer	150	145	2,0	○●○	○●○	
– Jobst Kirsch	150	158	2,3	○●○	○●○	
– Jobst Pfirsich-Aprikose	150	154	2,2	○●○	○●○	
– Kirsch-Grütze mit Vanille-Creme	160	181	3,0	○○●	○●○	
– Rote Grütze mit Vanille-Creme	160	173	3,0	○○●	○●○	
– Waldbeer-Grütze m. Vanille-Creme	160	173	2,9	○○●	○●○	
Dresdner Stollen	100	408	3,9	●○○	●○○	○●○
Duplo	18	98	0,8	●○○	●○○	
E						
Eclairs mit Sahne	100	294	1,5	●○○	●○○	○●○
Ed. v. Schleck, Langnese	60	114	1,3	○●○	●○○	
Edamer 45 % F. i. Tr.	30	106		●○○	●○○	
Edelkastanie gegart	60	101	1,8	○○●	○○●	○●○
Edelkastanie geröstet u. gesalzen	60	143	1,7	○○●	○○●	○●○
Edelpilzkäse 45 % F. i. Tr.	30	91		●○○	●○○	
Egg McMuffin, McDonalds	150	416	2,4	●○○	●○○	

Produktbezeichnung	Portion in g	kcal pro Portion	BE pro Portion	Fett-faktor	Satt-faktor	GLYX-faktor
Ei	60	92		rot	rot	
Ei gebraten	60	98		rot	rot	
Eier mit Senfsoße	130	163	0,4	rot	rot	gelb
Eierlikör	20	57	0,5	gelb	rot	gelb
Eierpfannkuchen	250	525	4,6	gelb	rot	gelb
Eierstich Suppeneinlage	30	33		rot	rot	
Eigelb	22	77		rot	rot	
Eintopf mit Gemüse	450	243	3,0	gelb	grün	gelb
Eis mit Sahne	100	136	0,9	rot	rot	grün
Eis mit Sahne und Früchten	150	189	1,5	rot	rot	grün
Eisbecher mit Sahne u. Früchten	350	693	4,6	rot	rot	grün
Eisbein gekocht	250	363	0,2	rot	rot	
Eisbergsalat	50	7		grün	grün	grün
Eiscreme	75	120	1,9	gelb	rot	rot
Eiskaffee	250	573	1,3	rot	rot	gelb
Eiskonfekt	12	63	0,6	rot	gelb	gelb
Eistee, Burger King	250	80	1,7	grün	rot	
Eiswein Beerenauslese	130	127	0,6	grün	rot	gelb
Eiweiß	38	19		grün	rot	
Elisenlebkuchen	25	103	1,0	grün	gelb	gelb
Emmentaler 45 % F. i. Tr.	30	115		rot	rot	
Endivien	50	6		grün	grün	
Ente mit Haut gegart	150	261		gelb	rot	
Entenfett	15	132		rot	rot	
Entenklein gegart	150	266		gelb	rot	
Entenleber	125	164	0,4	gelb	rot	gelb
Entenschenkel gegart	150	273		gelb	rot	
Erbse gekeimt	100	32		grün	grün	grün
Erbse grün gegart	150	126	1,6	grün	grün	grün
Erbse grün getrocknet gegart	150	158	1,9	grün	grün	grün
Erbse grün Konserve netto	150	105	1,2	grün	grün	grün
Erbseneintopf mit Würstchen	450	405	2,7	rot	grün	grün

Produktbezeichnung	Portion in g	kcal pro Portion	BE pro Portion	Fett-faktor	Satt-faktor	GLYX-faktor
Erbsenpüree von Trockenerbsen	250	235	2,6	🟢	🟢	🟡
Erbsensuppe	400	244	1,4	🔴	🟢	🟢
Erbsensuppe mit Speck	400	344	3,0	🔴	🟢	🟢
Erbswurst	30	92	0,3	🔴	🟡	🟢
Erdbeerbowle	200	158	1,0	🟢	🔴	🟡
Erdbeercreme	200	322	2,2	🔴	🔴	🟡
Erdbeere	125	40	0,6	🟢	🟢	🟡
Erdbeere Konserve netto	125	83	1,5	🟢	🟡	🔴
Erdbeereis	100	105	1,6	🟡	🔴	🔴
Erdbeerkonfitüre	25	67	1,4	🟢	🔴	🔴
Erdnuss	20	112		🟢	🟡	🟢
Erdnuss dragiert	25	133	0,6	🟡	🟡	🟢
Erdnuss geröstet	20	116		🟡	🟡	🟢
Erdnuss geröstet und gesalzen	20	114		🟡	🟡	🟢
Erdnussbutter	20	119	0,2	🟢	🟡	🟢
Erdnussflips	25	132	0,9	🟡	🔴	🔴
Erdnussöl	12	105		🟢	🔴	
Esrom 45 % F. i. Tr.	30	94		🔴	🔴	
Essig	15	3		🟢	🔴	
Essig Kräutersoße	45	239		🟡	🔴	
Essigmarinade	45	136		🟡	🔴	
Estragon frisch	5	2		🟢	🟢	🟢
Estragon getrocknet	1	3		🟢	🟡	🟢
F						
Fanta Orange	200	82	1,7	🟢	🔴	
Fanta Orange light	200	5	0,1	🟢	🔴	
Fasan	150	203		🟡	🔴	
Federweißer	200	152	2,0	🟢	🔴	
Feige frisch	20	13	0,2	🟢	🟢	
Feige getrocknet	25	71	1,2	🟢	🟢	🟡
Feldsalat	50	7		🟢	🟢	

Produktbezeichnung	Portion in g	kcal pro Portion	BE pro Portion	Fett-faktor	Satt-faktor	GLYX-faktor
Fenchel	150	38	0,4	🟢	🟢	🟢
Fenchel gegart	150	33	0,3	🟢	🟢	🟢
Fenchelgemüse gedünstet	200	106	0,5	🔴	🟢	🟢
Fenchelsamen frisch	5	17		🟢	🟢	🟢
Ferkel mf.	150	266		🔴	🔴	
Ferrero Küsschen	9	53	0,3	🔴	🔴	
Feta	30	71		🔴	🔴	
ff-						
– Chipsfrisch Oriental	25	140	1,1	🔴	🔴	
– Chipsfrisch Peperoni	25	138	1,1	🔴	🔴	
– Chipsfrisch ungarisch	25	138	1,1	🔴	🔴	
– Erdnuss-Flippies	25	124	1,1	🔴	🔴	
– Frit-Sticks ungarisch	25	131	1,3	🔴	🔴	
– Riffel's Naturell	25	136	1,1	🔴	🔴	
– Rustica	25	138	1,1	🔴	🔴	
– Zwiebli-Ringe	25	127	1,2	🔴	🔴	
Filetsteak gebraten	200	296		🔴	🔴	
Filetsteak mit Kräuterbutter	200	548		🔴	🔴	
Fisch Filegro in Kräutersoße TK	125	143	0,3	🔴	🔴	
Fisch Filegro Müllerin Art TK	125	179	0,5	🔴	🔴	
Fisch paniert TK	150	177	1,6	🟢	🔴	🔴
Fischbrühe	300	69	0,2	🔴	🔴	
Fischfilet Müllerin	230	412	0,8	🔴	🔴	🟡
Fischfilet paniert	200	346	2,3	🔴	🔴	🟡
Fischfrikadelle	120	190	1,0	🟡	🔴	🟡
Fischmäc, McDonalds	144	382	3,0	🔴	🔴	
Fischstäbchen gebraten	150	290	1,8	🔴	🔴	🟡
Fischsuppe gebunden	400	492	0,8	🔴	🔴	🟡
Fish King, Burger King	176	419	4,8	🔴	🔴	
Fish King mit Käse, Burger King	189	462	4,8	🔴	🔴	
Fladenbrot	50	118	2,0	🟢	🟡	🔴
Flädle Trockenprodukt	60	211	3,4	🟢	🟡	🔴

Produktbezeichnung	Portion in g	kcal pro Portion	BE pro Portion	Fett-faktor	Satt-faktor	GLYX-faktor
Flädlesuppe	330	221	1,7	●○○	●○○	○●○
Flammeri mit Erdbeeren	250	360	2,4	●○○	●○○	○●○
Fleischbrühe klar	300	147	0,2	●○○	○●○	
Fleischbrühe mit Gemüse	350	140	0,3	●○○	●○○	
Fleischbrühe mit Nudeln	330	215	1,5	○●○	○●○	○●○
Fleischbrühe Würfel	5	7		○●○	●○○	
Fleischkäse einfach	30	95		●○○	●○○	
Fleischkäse grob	30	81		●○○	●○○	
Fleischsuppe klar Brühwürfel	5	7		○●○	●○○	
Fleischtomate	150	26	0,3	○○●	○○●	○○●
Fleischwurst	30	85		●○○	●○○	
Flunder gebraten	250	368	0,3	●○○	●○○	○●○
Flunder gegart	180	83		○●○	●○○	
Flunder geräuchert	75	76		○●○	●○○	
Flunder paniert	200	358	1,5	●○○	●○○	○●○
Flusskrebs gegart	100	92		○○●	●○○	
Flusskrebs Konserve in Öl netto	60	92		○●○	●○○	
Forelle blau	200	236		○○●	●○○	
Forelle gegart	180	115		○●○	●○○	
Forelle geräuchert	75	90		○●○	●○○	
Forelle Müllerin	200	354	0,7	●○○	●○○	○●○
Forelle paniert	200	376	1,6	●○○	●○○	○●○
Frankfurter Kranz	70	254	1,9	●○○	●○○	○●○
Frankfurter Würstchen	100	276		●○○	●○○	
French Dressing Fertigprodukt	25	52		○●○	●○○	
Frikadelle	70	109	0,3	○●○	●○○	○●○
Frischkäse 50 % F. i. Tr.	30	84		●○○	●○○	
Frischkäsezubereitung 20 % F. i. Tr.	30	32		●○○	●○○	
Frischkäsezubereitung 50 % F. i. Tr.	30	85		●○○	●○○	
Fritierfett	15	132		●○○	●○○	
Frosties	40	150	2,9	○○●	●○○	
Früchtebrot	45	158	2,0	○○●	○●○	○●○

Produktbezeichnung	Portion in g	kcal pro Portion	BE pro Portion	Fett-faktor	Satt-faktor	GLYX-faktor
Fruchteis	75	99	1,8	grün	rot	rot
Früchtemüsli	40	136	2,0	grün	grün	gelb
Früchtequark	250	258	3,6	grün	rot	rot
Früchtetee	125	1		grün	rot	
Fruchtgummi	5	9	0,2	grün	rot	
Fruchtjoghurt mit Süßstoff	150	96	0,6	rot	gelb	grün
Fruchtquark mit Süßstoff	150	110	0,6	grün	gelb	gelb
Fruchtsaftg. Zitrus kalorienarm	200	24	0,4	grün	grün	gelb
Fruchtsaftgetränk Trauben	200	124	2,4	grün	rot	rot
Fruchtsaftgetränk Zitrus	200	94	1,9	grün	rot	rot
Fruchtsaftlikör	20	61	0,5	grün	rot	rot
Fruchtzucker	5	20	0,4	grün	rot	grün
Fruchtzwerge	50	74	0,6	rot	rot	
Fruchtzwerge Multivitamin	50	61	0,7	gelb	rot	
Frühlingsqu. m. Kartoffel u. Butter	400	412	2,6	rot	gelb	gelb
Frühlingsrolle m. Gemüsefüllung	150	305	2,0	rot	rot	gelb
Frühlingssuppe klar	350	175	1,8	gelb	grün	gelb
Fürst Pückler Bombe	250	805	3,5	rot	rot	gelb
Fürst Pückler Eis, Langnese	70	127	1,3	gelb	rot	
G						
Gans frisch	150	507		rot	rot	
Gans gegart	150	419		rot	rot	
Gänsebraten mit Soße	300	975	0,2	rot	rot	
Gänseklein gegart	150	437		rot	rot	
Gänseleber	125	164	0,5	gelb	rot	gelb
Gänseleberpastete	30	74		rot	rot	
Gänseleberwurst mit Trüffeln	30	76		rot	rot	
Gänseschmalz	15	132		rot	rot	
Garnele	100	102		grün	rot	
Garnelensuppe Konserve	250	220		grün	rot	
Gartenkürbis	150	20	0,3	grün	grün	grün

Produktbezeichnung	Portion in g	kcal pro Portion	BE pro Portion	Fett-faktor	Satt-faktor	GLYX-faktor
Gartenkürbis Konserve netto	150	14	0,2	grün	grün	grün
Gazpacho	350	67	0,3	rot	grün	grün
Geflügel Dippers TK	125	324	1,9	rot	rot	
Geflügel Sticks TK	125	273	1,8	gelb	rot	
Geflügelbrühe	300	240		rot	rot	
Geflügelcremesuppe	350	210	0,7	rot	rot	gelb
Geflügeldöner	350	574	6,4	grün	rot	rot
Gekochte Eier	60	92		rot	rot	
Gelatine	1	3		grün	rot	
Gelee extra	25	65	1,3	grün	rot	rot
Geleefrüchte	25	82	1,6	grün	grün	rot
Gemüse Mac, McDonalds	203	485	4,7	rot	gelb	
Gemüse Putenwurst, Du darfst	25	27	0,1	gelb	rot	
Gemüse überbacken in Käsesoße	350	312	1,7	rot	grün	grün
Gemüsebratling	200	264	2,0	rot	gelb	grün
Gemüsebrühe	300	57		gelb	grün	
Gemüseburger	200	236	2,9	gelb	grün	gelb
Gemüsecremesuppe	350	130	1,2	rot	gelb	gelb
Gemüseeintopf	350	252	0,7	rot	gelb	gelb
Gemüseeintopf mit Rind	450	212	1,8	gelb	grün	grün
Gemüsemischung gegart	150	51	0,6	grün	grün	grün
Gemüsemischung Konserve netto	150	48	0,5	grün	grün	grün
Gemüseplatte mit Kartoffeln	250	200	1,8	gelb	grün	grün
Gemüserisotto	250	228	3,4	grün	gelb	grün
Gemüsesalat mit Essigmarinade	150	57	0,7	grün	grün	grün
Gemüsesalat mit Joghurtdressing	150	62	0,6	gelb	grün	grün
Gemüsesalat mit Mayonnaise	150	131	0,6	gelb	grün	grün
Gemüsesuppe italienisch	350	133	1,4	grün	grün	grün
Gemüsezwiebel	80	22	0,3	grün	grün	grün
Germknödel	330	842	7,5	rot	gelb	gelb
Gerste Vollkorn	40	128	2,1	grün	grün	gelb
Gerste Vollkorn gegart	180	184	3,0	grün	grün	gelb

Produktbezeichnung	Portion in g	kcal pro Portion	BE pro Portion	Fett-faktor	Satt-faktor	GLYX-faktor
Gerstenbrot	45	95	1,7	🟢	🟡	🔴
Getränkepulver Orange	25	96	1,9	🟢	🔴	🔴
Getreidebratling	200	236	2,8	🟢	🟢	🟡
Gewürzgurke netto	50	8		🟢	🟢	🟢
Gewürzkuchen Rührteig	70	252	2,8	🟡	🔴	🟡
Gewürzmischung chinesisch	1	3		🟡	🟢	🟢
Gin	20	52		🟢	🔴	
Giotto	5	28	0,1	🔴	🔴	
Glühwein	200	210	2,5	🟢	🔴	🔴
Glutamat	1	2		🟢	🔴	
Glutenfr. Biskuit	20	99	1,2	🟢	🔴	🟡
Glutenfr. Brot dunkel	45	100	1,9	🟢	🔴	🔴
Glutenfr. Hirsebrot	45	114	2,0	🟢	🟡	🔴
Glutenfr. Kastanienbrot	45	80	1,5	🟢	🔴	🔴
Glutenfr. Körnerbrot	45	98	1,5	🟢	🟢	🟡
Glutenfr. Löffelbiskuit	20	84	1,3	🟢	🔴	🔴
Glutenfr. Maiskekse	20	88	1,1	🟢	🔴	🟡
Glutenfr. Mehl	10	35	0,7	🟢	🔴	🔴
Glutenfr. Mehlmischung für Brot	10	35	0,7	🟢	🔴	🔴
Glutenfr. Nudeln roh	60	213	4,3	🟢	🔴	🔴
Glutenfr. Paniermehl	8	30	0,5	🟢	🔴	🔴
Glutenfr. Plätzchen	20	47	0,9	🟢	🔴	🔴
Glutenfr. Waffeln	20	102	1,0	🟡	🔴	🟡
Glutenfr. Zwieback	10	44	0,5	🟢	🔴	🟡
Goldbackfisch TK	150	225	0,7	🟡	🔴	🟡
goldfischli Original	25	115	1,2	🟡	🔴	
goldfischli Paprika	25	117	1,2	🟡	🔴	
goldfischli Sesam	25	121	1,1	🔴	🔴	
Gorgonzola	30	107		🔴	🔴	
Götterspeise Gelee	150	90	1,7	🟢	🔴	
Gouda 45 % F. i. Tr.	30	110		🔴	🔴	
Gouda 60 % F. i. Tr.	30	126		🔴	🔴	

Produktbezeichnung	Portion in g	kcal pro Portion	BE pro Portion	Fett-faktor	Satt-faktor	GLYX-faktor
Grahambrot	40	85	1,4	grün	grün	gelb
Granatapfel	125	98	1,7	grün	grün	gelb
Granatapfelsaft	200	154	2,8	grün	rot	rot
Grand Marnier	20	64	0,5	grün	rot	rot
Grapefruit	100	50	0,7	grün	gelb	gelb
Grapefruitsaft	200	96	1,4	grün	rot	rot
Graubrot	45	95	1,7	grün	gelb	rot
Graupen	20	68	1,2	grün	gelb	rot
Graupensuppe klar	350	172	1,8	gelb	gelb	gelb
Greyerzer 50 % F. i. Tr.	30	122		rot	rot	
Grießbrei	200	146	1,9	gelb	rot	gelb
Grießklößchensuppe	350	504	3,2	rot	rot	gelb
Grießklöße	250	378	3,9	rot	gelb	gelb
Grießsuppe mit Gemüseeinlage	400	188	1,6	rot	gelb	gelb
Grilled Chicken, McDonalds	189	402	3,2	gelb	rot	
Grillsoße Barbecue	20	29	0,5	grün	gelb	rot
Grillsoße mexikanisch	20	12		grün	grün	
Grillsteak	250	398		gelb	rot	
Grüne Bohneneintopf mit Rind	450	275	2,5	gelb	grün	gelb
Grüne Soße	45	106		rot	rot	
Grünkern Gemüse Bratling	200	288	3,0	gelb	gelb	gelb
Grünkern Vollkorn	40	130	2,1	grün	grün	gelb
Grünkern Vollkorn gegart	180	187	3,0	grün	grün	gelb
Grünkernsuppe	350	347	0,9	rot	rot	gelb
Grünkohl	150	56	0,3	grün	grün	grün
Grünkohl gegart	150	42	0,2	grün	grün	grün
Grünkohl Konserve netto	150	50	0,2	grün	grün	grün
Grünkohleintopf m. Schweinebauch	450	522	0,9	rot	gelb	grün
Guave	100	38	0,6	grün	grün	gelb
Guave Konserve netto	100	76	1,4	grün	grün	rot
Guavennektar	200	102	2,0	grün	rot	rot
Gulaschsuppe	400	248	1,2	rot	rot	gelb

Produktbezeichnung	Portion in g	kcal pro Portion	BE pro Portion	Fett-faktor	Satt-faktor	GLYX-faktor
Gulaschsuppe Konserve	250	275	0,5	🔴	🔴	🟡
Gummibonbons	5	9	0,2	🟢	🔴	
Gurke	150	14		🟢	🟢	🟢
Gurke Konserve netto	150	15	0,2	🟢	🟢	🟢
Gurke sauer	50	4		🟢	🟢	🟢
Gurke süß-sauer	50	9		🟢	🟢	🟢
Gurkensalat mit Dressing	150	62	0,3	🟡	🟡	🟢
H						
Hackbraten mit Soße	380	680	1,4	🔴	🔴	🟡
Hackfleisch gemischt gegart	100	239		🔴	🔴	
Hackfleisch gemischt roh	100	221		🔴	🔴	
Hackfleisch Rind gegart	100	223		🔴	🔴	
Hackfleisch Rind roh	100	202		🔴	🔴	
Hackfleisch Schwein gegart	100	264		🔴	🔴	
Hackfleisch Schwein roh	100	250		🔴	🔴	
Hacksteak Fertiggericht	150	282		🔴	🔴	
Hacksteak gegart	200	402	0,3	🔴	🔴	🟡
Hafer Vollkorn	40	141	2,0	🟢	🟡	🟢
Haferbrei	250	403	4,2	🔴	🔴	🟡
Haferflocken	40	148	2,1	🟢	🟡	🟡
Haferflocken gegart	80	63	0,9	🟢	🟡	🟡
Haferflocken Vollkorn	40	148	2,1	🟢	🟡	🟢
Haferflockenplätzchen	50	209	2,1	🔴	🔴	🟡
Hafergrütze gegart	180	194	2,8	🟢	🟡	🟡
Hagebutte	125	135	2,0	🟢	🟢	🟡
Hagebutte gegart	125	140	2,1	🟢	🟢	🟡
Hagebuttenkonfitüre	25	74	1,5	🟢	🔴	🔴
Hähnchen gegart	150	284		🟡	🔴	
Hähnchen gegrillt	250	435		🟡	🔴	
Hähnchen Innereien gegart	125	184	0,6	🟡	🔴	🟡
Hähnchenflügel	150	312		🔴	🔴	

Produktbezeichnung	Portion in g	kcal pro Portion	BE pro Portion	Fett-faktor	Satt-faktor	GLYX-faktor
Hähnchenklein gegart	150	342		●○○	●○○	
Hähnchenleber gegart	125	184	0,6	○●○	●○○	○●○
Hähnchenschenkel gegart	150	321		○●○	●○○	
Halbbitterkuvertüre	25	99	1,3	○●○	○○●	○●○
Halbfettbutter, Du darfst	20	73	0,0	●○○	●○○	
Hallimasch frisch	100	15		○●○	○○●	
Halwa	50	190	3,6	○○●	●○○	●○○
Ham und Eggs, McDonalds	196	433	2,4	○●○	●○○	
Hamburger Aalsuppe	400	328	1,6	○●○	○●○	○○●
Hamburger Pfannfisch	250	268	1,7	○●○	○●○	○●○
Hamburger, Burger King	116	285	2,3	○●○	●○○	
Hamburger, McDonalds	103	253	2,6	●○○	●○○	○●○
Hamburger Royal, McDonalds	205	517	3,0	●○○	●○○	
Hamburger Royal TS, McDonalds	247	561	2,9	●○○	●○○	
Hammelbraten mf.	125	278		●○○	●○○	
Hammelfilet gegart	125	188		○●○	●○○	
Hammelkeule gegart	125	339		●○○	●○○	
Hammelkotelett mf. gegart	150	389		●○○	●○○	
Hanuta	23	121	0,9	●○○	●○○	
Happen, Langnese	42	92	1,0	○●○	●○○	
Happy Hippo Snack	21	118	0,7	●○○	●○○	
Haribo						
– Color-Rado	25	86	1,6	○○●	●○○	
– Erdbeeren	25	93	1,8	○○●	●○○	
– Frucht-Kracher	25	96	1,8	○○●	●○○	
– Goldbären	25	85	1,6	○○●	●○○	
– Happy-Cola	25	85	1,6	○○●	●○○	
– Katinchen	25	80	1,6	○○●	●○○	
– Konfekt	25	89	1,6	○○●	●○○	
– Piratos	25	80	1,6	○○●	●○○	
– Salino	25	80	1,6	○○●	●○○	
– Salzbrezel	25	88	1,8	○○●	●○○	

Produktbezeichnung	Portion in g	kcal pro Portion	BE pro Portion	Fett-faktor	Satt-faktor	GLYX-faktor
– Saure Pommes	25	85	1,6	🟢	🟠	
– Schnecken	25	74	1,4	🟢	🟠	
– Stafetten	25	86	1,8	🟢	🟠	
– Tropi Frutti	25	88	1,6	🟢	🟠	
– Tutti Frutti	25	87	1,7	🟢	🟠	
– Weinland	25	85	1,6	🟢	🟠	
Hartkaramelle gefüllt	5	18	0,4	🟢	🟠	🟠
Hartkäse 45 % F. i. Tr.	30	115		🟠	🟠	
Hartkäse Magerstufe	30	50		🟢	🟠	
Haselnuss	20	127	0,2	🟡	🟡	
Haselnuss Krokant	20	90	1,4	🟢	🟠	🟡
Haselnusscreme Dessert	200	472	2,2	🟠	🟠	🟡
Haselnussmus	20	130	0,2	🟡	🟠	
Haselnussöl	12	106		🟡	🟠	
Hasenbraten mit Soße	200	340	0,3	🟡	🟠	🟡
Hasenpfeffer mit Soße	350	536	0,6	🟠	🟠	🟡
Hasenragout	350	214	0,8	🟡	🟠	🟡
Hausmacher Blutwurst Konserve	30	103		🟠	🟠	
Hausmacher Leberwurst Konserve	30	90		🟠	🟠	
Havarti 45 % F. i. Tr.	30	97		🟠	🟠	
Hecht gegart	180	90		🟢	🟠	
Hechtfilet gegart	150	140		🟢	🟠	
Hechtfilet paniert	200	338	1,6	🟠	🟠	🟡
Hefe frisch	5	4		🟢	🟢	
Hefeaufstrichpaste m. Champignons	20	38		🟠	🟡	
Hefeaufstrichpaste mit Kräutern	20	39		🟠	🟠	
Hefebrühe Extr. m. Gemüse gekörnt	5	12		🟡	🟠	
Hefebrühe Extrakt	5	15		🟠	🟠	
Hefebrühe Extrakt mit Gemüse	5	13		🟠	🟠	
Hefeklöße im Backofen	180	502	6,3	🟠	🟠	🟡
Hefeteig	100	302	3,6	🟠	🟠	🟡
Hefeteigschnecke	65	211	2,9	🟡	🟠	

Produktbezeichnung	Portion in g	kcal pro Portion	BE pro Portion	Fett-faktor	Satt-faktor	GLYX-faktor
Hefeweizenbier	330	125	0,8	grün	rot	gelb
Hefezopf	100	302	3,9	gelb	rot	gelb
Heidelbeere	125	53	0,8	grün	grün	gelb
Heidelbeere gegart	125	55	0,8	grün	grün	gelb
Heidelbeere Konserve netto	125	93	1,7	grün	grün	gelb
Heidelbeerkonfitüre	25	68	1,4	grün	rot	rot
Heilbutt gegart	180	158		grün	rot	
Heilbutt gegrillt	200	342	0,2	rot	rot	
Heilbutt geräuchert	75	77		grün	rot	
Heilbutt paniert	200	360	1,5	rot	rot	gelb
Heilbuttfilet	150	146		grün	rot	
Heilbuttfilet gegart	150	168		grün	rot	
Hering geräuchert	75	163		grün	rot	
Hering grün gegrillt	200	502		grün	rot	
Hering Konserve in Öl netto	60	124		grün	rot	
Hering Konserve netto	65	132		grün	rot	
Heringsfilet gegart	150	356		grün	rot	
Heringsfilet in Tomatensoße	90	166		grün	rot	
Heringsfilet Matjesart	90	188		grün	rot	
Heringsfilet mit Remouladensoße	230	458	0,7	gelb	rot	
Himbeere	125	43	0,5	grün	grün	gelb
Himbeere Konserve netto	125	85	1,5	grün	grün	gelb
Himbeergeist	20	48		grün	rot	
Himbeerkonfitüre	25	67	1,4	grün	rot	rot
Himmel und Erde	350	245	4,0	grün	grün	gelb
Himmel und Erde mit Blutwurst	350	574	2,5	rot	rot	gelb
Hinterschinken	30	36		gelb	rot	
Hirschbraten mit Soße	400	352	0,6	rot	rot	gelb
Hirschhornsalz	1	2		grün	rot	
Hirse ganzes Korn	20	66	1,1	grün	grün	gelb
Hirse gegart	180	205	3,2	grün	gelb	rot
Hirsevollkornbrot	50	109	1,8	grün	grün	gelb

Produktbezeichnung	Portion in g	kcal pro Portion	BE pro Portion	Fett-faktor	Satt-faktor	GLYX-faktor
Holunderbeere gegart	125	63	0,8	🟢	🟢	🟢
Holunderbeere netto	125	60	0,8	🟢	🟢	🟢
Holunderbeersaft	200	100	1,4	🟢	🔴	🔴
Holzofenbrot	45	95	1,7	🟢	🟡	🔴
Honig	25	77	1,6	🟢	🔴	🟡
Honigkuchen	70	251	4,0	🟢	🔴	🔴
Honigmelone	125	33	0,6	🟢	🟢	🟡
Hörnchen Blätterteig	70	329	2,8	🔴	🔴	🟡
Hühnerbrühe gekörnt	3	4		🟡	🔴	
Hühnerbrühe mit Nudeln gekörnt	330	287	1,2	🔴	🔴	🟡
Hühnerfrikassee	450	608	0,7	🔴	🔴	🟡
Hühnerpastete	30	78	0,2	🔴	🔴	
Hummer	100	86		🟢	🔴	
Hummer gegart	100	88		🟢	🔴	
Hummersalat mit Mayonnaise	150	194	0,4	🔴	🔴	🟡
Hummersuppe	400	492	0,8	🔴	🔴	🟡
Hüttenkäse 20 % F. i. Tr.	30	31		🔴	🔴	
Hüttenkäse Magerstufe	30	24		🟡	🔴	
I						
Ingwer kandiert	25	65	1,3	🟢	🔴	🔴
Ingwerknolle	5	3		🟢	🟡	🟢
Intermezzo, Dr. Oetker						
– Gemüse-Chili-Sauerrahm	165	432	3,8	🔴	🔴	
– Paprika-Hackfleisch-Sauerrahm	145	403	3,7	🔴	🔴	
– Salami-Cayenne-Sauerrahm	160	445	3,7	🔴	🔴	
– Schinken-Sauerrahm	143	393	3,6	🔴	🔴	
– Spinat-Sauerrahm	158	405	3,6	🔴	🔴	
– Thunfisch-Sauerrahm	158	439	3,7	🔴	🔴	
Irish Stew	400	352	1,8	🔴	🟡	🟢
Italian Dressing Fertigprodukt	60	305		🟡	🔴	

Produktbezeichnung	Portion in g	kcal pro Portion	BE pro Portion	Fett-faktor	Satt-faktor	GLYX-faktor
J						
Jacobsmuschel	100	77	0,5	○○●	●○○	
Jagdwurst	30	65		●○○	●○○	
Jagdwurst fettarm	30	62		●○○	●○○	
Jägerpilzsuppe	320	102	0,2	●○○	●○○	
Jägerschnitzel	150	173	0,4	●○○	●○○	○●○
Jägersoße	60	44	0,3	●○○	○●○	○○●
Jarlsberg 45 % F. i. Tr.	30	105		●○○	●○○	
Jerome 45 % F. i. Tr.	30	95		●○○	●○○	
Jodiertes Salz	1	0		○○●	●○○	
Joghurt 1,5 % Fett	150	69	0,5	●○○	●○○	○●○
Joghurt 3,5 % Fett	150	99	0,5	●○○	●○○	○●○
Joghurt Dressing	60	71	0,3	●○○	●○○	○●○
Joghurt mit Früchten 1,5 % Fett	150	125	1,8	○●○	○●○	○●○
Joghurt mit Früchten 3,5 % Fett	150	149	1,8	●○○	●○○	○●○
Joghurt mit Müsli	150	189	2,1	○●○	●○○	○●○
Joghurt Trinkjoghurt 1,5 % Fett	150	107	1,4	○●○	●○○	
Joghurt Trinkjoghurt 3,5% Fett	150	132	1,4	○●○	●○○	
Joghurteis	75	104	1,5	○●○	●○○	
Johannisbeere rot	125	54	0,8	○○●	○○●	○●○
Johannisbeere schwarz	125	71	1,1	○○●	○○●	○●○
Johannisbeere weiß	125	64	1,0	○○●	○○●	○●○
Johannisbeere weiß Konserve netto	125	98	1,8	○○●	○○●	○●○
Johannisbeerkonfitüre rot	25	68	1,4	○○●	●○○	●○○
Johannisbeerkonfitüre schwarz	25	69	1,4	○○●	●○○	●○○
Johannisbeersaft rot	200	204	3,7	○○●	●○○	●○○
Johannisbeersaft schwarz	200	228	4,1	○○●	●○○	●○○
Johannisbrotkernmehl	10	6		○○●	○○●	○○●
K						
Kabeljau gegart	180	117		○○●	●○○	
Kabeljau gekocht	200	164		○○●	●○○	

Produktbezeichnung	Portion in g	kcal pro Portion	BE pro Portion	Fett-faktor	Satt-faktor	GLYX-faktor
Kabeljau paniert	200	330	1,5	🔴	🔴	🟡
Kabeljaufilet	150	116		🟢	🔴	
Kabeljaufilet gegart	150	135		🟢	🔴	
Kaffee Getränk	125	3		🟢	🔴	
Kaffee Instant Pulver	3	10		🟢	🔴	
Kaffee mit Milch	125	5		🔴	🔴	
Kaffee mit Milch und Zucker	125	15	0,2	🟢	🔴	
Kaffee mit Zucker	125	13	0,2	🟢	🔴	
Kaffee Zichorien Pulver	3	6		🟢	🔴	
Kaffeesahne 10 % F.	5	6		🔴	🔴	
Kaffeeweißer	3	16		🔴	🔴	
Kaffeeweißer Coffee-mate	3	20	0,2	🔴	🔴	
Kaiserschmarrn	250	475	4,0	🔴	🔴	🟡
Kakaobutter	20	176		🔴	🔴	
Kakaogetränkepulver löslich	4	16	0,3	🟡	🟡	🔴
Kakaopulver schwach entölt	4	14		🔴	🟢	
Kakaotrunk Trinkschokolade	200	262	3,5	🟡	🔴	🟡
Kalbfleisch ma. gegart	150	206		🟢	🔴	
Kalbfleischpastete	30	69	0,2	🔴	🔴	
Kalbfleischsuppe Trockenprodukt	50	72		🔴	🔴	
Kalbfleischwurst	30	96		🔴	🔴	
Kalbsbraten gegart	125	171		🟢	🔴	
Kalbsfilet gebraten	150	293		🟡	🔴	
Kalbsfilet gegart	150	213		🟡	🔴	
Kalbsfrikassee	250	228	0,6	🟡	🔴	🟡
Kalbsgeschnetzeltes Zürcher Art	250	325	0,4	🔴	🔴	🟡
Kalbsgulasch gegart	150	228		🟡	🔴	
Kalbskeule mf. gegart	125	180		🟢	🔴	
Kalbskotelett mf. gegart	150	258		🟡	🔴	
Kalbskotelett natur	150	276		🟡	🔴	
Kalbskotelett paniert	150	401	2,1	🔴	🔴	🟡
Kalbslende gegart	125	178		🟡	🔴	

Produktbezeichnung	Portion in g	kcal pro Portion	BE pro Portion	Fett-faktor	Satt-faktor	GLYX-faktor
Kalbsragout mit Champig. u. Soße	250	230	0,3	gelb	rot	gelb
Kalbsroulade mf. gegart	150	216		grün	rot	
Kalbsschnitzel mf. gegart	125	180		grün	rot	
Kalte Ente Getränk	200	202	1,8	grün	rot	rot
Kandierte Früchte	25	66	1,3	grün	rot	rot
Kaninchen mf. gegart	150	282		gelb	rot	
Kapern	5	21	0,2	gelb	grün	
Kapernsoße	60	52	0,3	rot	rot	gelb
Karamelcreme	200	216	2,8	gelb	rot	gelb
Karamelsoße	60	96	1,2	gelb	rot	gelb
Karausche gegart	180	130		gelb	rot	
Kardamon	1	3		grün	grün	
Karpfen blau	200	234		gelb	rot	
Karpfen paniert	200	376	1,6	rot	rot	gelb
Karpfenfilet gegart	150	174		gelb	rot	
Kartoffel gegart	200	138	2,4	grün	grün	rot
Kartoffel Lauchcremesuppe	350	277	1,2	rot	gelb	grün
Kartoffel	200	142	2,5	grün	grün	gelb
Kartoffel Spinat Auflauf	350	319	2,7	rot	gelb	gelb
Kartoffel ungeschält gegart	240	137	2,4	grün	grün	gelb
Kartoffelauflauf	350	536	2,8	rot	rot	gelb
Kartoffelbrei	250	198	2,7	gelb	grün	rot
Kartoffelbreipulver	25	82	1,5	grün	grün	rot
Kartoffelchips	25	134	0,8	rot	rot	gelb
Kartoffelkloß aus rohen Kartoffeln	200	158	2,1	gelb	gelb	gelb
Kartoffelkloß halb und halb aus Pulver	200	188	2,8	gelb	grün	gelb
Kartoffelkloß Trockenprodukt	30	98	1,8	grün	gelb	rot
Kartoffelkroketten	250	340	4,0	gelb	gelb	gelb
Kartoffelpuffer	200	306	3,1	rot	gelb	gelb
Kartoffelsalat mit Dressing	250	268	2,2	gelb	gelb	gelb
Kartoffelsalat mit Mayonnaise	250	253	2,7	rot	gelb	gelb
Kartoffelstärke	10	34	0,7	grün	rot	rot

Produktbezeichnung	Portion in g	kcal pro Portion	BE pro Portion	Fett-faktor	Satt-faktor	GLYX-faktor
Kartoffelsuppe	400	168	2,1	rot	gelb	gelb
Kartoffelsuppe mit Gemüse	400	228	2,5	gelb	grün	gelb
Kartoffelsuppe mit Wurst	400	344	2,4	rot	gelb	grün
Käse Wurst Salat m. Essigmarinade	150	314	0,5	rot	rot	gelb
Käsecremesuppe m. Schmelzkäse	320	320	0,7	rot	rot	gelb
Käsefondue	270	683	0,4	rot	rot	gelb
Käsegebäck Blätterteig	70	369	2,0	rot	rot	gelb
Käsekuchen Mürbeteig	100	276	2,3	rot	rot	gelb
Käsenockerln	200	466	2,4	rot	rot	gelb
Käsesahnetorte	120	251	3,1	gelb	rot	gelb
Käsesalat	150	318	0,7	rot	rot	gelb
Käsesoße	60	67	0,3	rot	rot	gelb
Käsespätzle	200	398	2,6	rot	rot	gelb
Käsetoast	100	298	0,9	rot	rot	rot
Käsetorte Rührteig	100	342	3,6	gelb	rot	gelb
Kasseler Aufschnitt	30	52		rot	rot	
Katenrauchwurst	30	110		rot	rot	
Katfisch gegart	180	90		grün	rot	
Katfischfilet	150	132		grün	rot	
Katfischfilet gegart	150	155		grün	rot	
Kaugummi	3	12	0,2	grün	rot	
Kaviar echt	5	13		gelb	rot	
Kaviarersatz	5	5		grün	rot	
Kefir 1,5 % Fett	150	75	0,5	rot	rot	gelb
Kefir 3,5 % Fett	150	99	0,5	rot	rot	gelb
Kefir mit Früchten 1,5 % Fett	150	129	1,8	gelb	gelb	gelb
Kefir mit Früchten 3,5 % Fett	150	149	1,8	rot	rot	gelb
Keks mit Schokolade	5	24	0,3	gelb	rot	
Kellogg's						
– All-Bran Flakes	30	95	1,7	grün	grün	
– All-Bran Plus	40	112	1,6	grün	grün	
– Choco Corn Flakes	30	115	2,1	grün	rot	

Produktbezeichnung	Portion in g	kcal pro Portion	BE pro Portion	Fett-faktor	Satt-faktor	GLYX-faktor
– Choco Krispies	30	115	2,1	⚪⚪🟢	⚪🟡⚪	
– Choco Smacks	30	116	1,9	⚪⚪🟢	🔴⚪⚪	
– Chocos	30	113	2,0	⚪⚪🟢	🔴⚪⚪	
– Chombos	30	116	2,1	⚪⚪🟢	🔴⚪⚪	
– Corn Flakes	30	110	2,1	⚪⚪🟢	🔴⚪⚪	
– Crunchy Nut Corn Flakes	30	115	2,1	⚪⚪🟢	⚪🟡⚪	
– Froot Loops	30	116	2,1	⚪⚪🟢	🔴⚪⚪	
– Frosties	30	112	2,2	⚪⚪🟢	🔴⚪⚪	
– Frosties Spice	30	111	2,0	⚪⚪🟢	🔴⚪⚪	
– Honey Loops	30	111	2,0	⚪⚪🟢	🔴⚪⚪	
– Just Right	30	105	1,9	⚪⚪🟢	⚪🟡⚪	
– Nutri-Grain 7-Früchte Müsli	40	148	2,0	⚪🟡⚪	⚪⚪🟢	
– Nutri-Grain Knusper Müsli	40	188	2,0	⚪🟡⚪	⚪⚪🟢	
– Nutri-Grain Mehrkorn Müsli	40	152	2,0	⚪🟡⚪	⚪⚪🟢	
– Nutri-Grain Schoko Müsli	40	155	2,1	⚪🟡⚪	⚪🟡⚪	
– Optima Fruit n Fibre	40	141	2,3	⚪⚪🟢	⚪⚪🟢	
– Optima Nut Feast	40	146	2,2	⚪⚪🟢	⚪⚪🟢	
– Pops	30	116	2,2	⚪⚪🟢	🔴⚪⚪	
– Rice Krispies	30	112	2,1	⚪⚪🟢	⚪🟡⚪	
– Smacks	30	111	2,1	⚪⚪🟢	🔴⚪⚪	
– Special K	30	111	1,9	⚪⚪🟢	⚪🟡⚪	
– Toppas	40	136	2,4	⚪⚪🟢	⚪🟡⚪	
– Toppas Choco	40	160	2,1	⚪🟡⚪	🔴⚪⚪	
– Toppas Traube	40	134	2,4	⚪⚪🟢	⚪🟡⚪	
Kerbel frisch	5	2		⚪⚪🟢	⚪⚪🟢	⚪⚪🟢
Kerbel getrocknet	1	2		⚪⚪🟢	⚪⚪🟢	⚪⚪🟢
Kichererbse frisch	60	161	1,9	⚪⚪🟢	⚪⚪🟢	⚪⚪🟢
Kichererbse gegart	150	171	2,0	⚪⚪🟢	⚪⚪🟢	⚪⚪🟢
Kichererbse getrocknet	50	163	2,0	⚪⚪🟢	⚪⚪🟢	⚪⚪🟢
Kichererbse Konserve netto	150	101	1,2	⚪⚪🟢	⚪⚪🟢	⚪⚪🟢
Kidney Bohne getrocknet	150	377	4,6	⚪⚪🟢	⚪⚪🟢	⚪⚪🟢
Kidney Bohne Konserve netto	150	95	1,1	⚪⚪🟢	⚪⚪🟢	⚪⚪🟢

Produktbezeichnung	Portion in g	kcal pro Portion	BE pro Portion	Fett-faktor	Satt-faktor	GLYX-faktor
Kinder						
– Bueno	22	123	0,8	rot	rot	
– Country	24	131	1,0	rot	rot	
– Maxi King	35	174	1,1	rot	rot	
– Pingui	30	136	0,9	rot	rot	
– Prof. Rino	21	118	0,7	rot	rot	
– Riegel	21	117	0,9	rot	rot	
– Überraschung	21	116	0,9	rot	rot	
– Schokolade Riegel	13	70	0,6	rot	rot	
– Schoko-Bons	6	33	0,2	rot	rot	
King, Burger King						
– Nuggets 6 Stück	90	246	0,9	rot	rot	
– Pommes mittel	116	400	3,6	gelb	rot	
– Sundae Erdbeer	145	243	3,2	gelb	rot	
– Sundae Karamel	145	251	3,2	gelb	rot	
– Sundae Schoko	145	243	3,2	gelb	rot	
– Sundae Vanille	130	202	2,4	gelb	rot	
– Wings 6 Stück	172	435	0,3	rot	rot	
Kinley Bitter Lemon	200	82	1,7	grün	rot	
Kinley Tonic Water	200	74	1,5	grün	rot	
Kirsche sauer	120	70	1,1	grün	gelb	gelb
Kirsche sauer Konserve netto	125	110	2,0	grün	gelb	rot
Kirsche süß	120	76	1,3	grün	grün	gelb
Kirsche süß Konserve netto	125	114	2,1	grün	gelb	rot
Kirschgrütze	250	188	3,6	grün	rot	rot
Kirschkompott	250	200	3,7	grün	gelb	gelb
Kirschkonfitüre	25	69	1,4	grün	rot	rot
Kirschsaft sauer	200	116	1,9	grün	rot	rot
Kirschstrudel	150	326	4,3	gelb	rot	gelb
Kirschtorte Mürbeteig	120	358	3,5	gelb	rot	gelb
Kirschwasser	20	48		grün	rot	
KitKat	45	229	2,3	rot	rot	

Produktbezeichnung	Portion in g	kcal pro Portion	BE pro Portion	Fett-faktor	Satt-faktor	GLYX-faktor
KitKat Chunky	55	283	2,8	rot	rot	
Kiwi	45	27	0,4	grün	grün	gelb
Klare Brühe mit Eierstich	330	195	0,3	rot	rot	gelb
Klarer	20	37		grün	rot	
Knäckebrot	10	36	0,6	grün	gelb	gelb
Knäckebrot ballaststoffreich	10	31	0,6	grün	grün	
Knäckebrot mit Ölsamen	10	37	0,6	grün	gelb	gelb
Knackwurst	100	283		rot	rot	
Knoblauch	2	3		grün	gelb	grün
Knoblauch gegart	2	2		grün	gelb	grün
Knoblauch Grillsoße	20	24	0,4	grün	rot	rot
Knoblauchbutter	20	114		rot	rot	
Knoblauchwurst	150	498		rot	rot	
Knoppers	25	132		rot	rot	
Knorr						
– Fix Bolognese Trockenprodukt	50	175	1,7	gelb	rot	
– Fix Brathähnchen Trockenprodukt	32	86	1,4	grün	rot	
– Fix Chili con Carne Trockenprodukt	40	105	1,0	gelb	rot	
– Fix Stroganoff Trockenprodukt	54	184	1,8	gelb	rot	
Kochbanane	100	123	2,4	grün	gelb	rot
Kochbanane gegart	125	160	3,1	grün	gelb	rot
Kochkäse 30 % F. i. Tr.	30	50		rot	rot	
Kochkäse Magerstufe	30	25		grün	rot	
Kochmettwurst	30	87		rot	rot	
Kochsalami	100	321		rot	rot	
Kochwurst	100	328		rot	rot	
Kohlrabi	150	38	0,5	grün	grün	gelb
Kohlrabi gedünstet mit Sahne	250	233	0,9	rot	gelb	grün
Kohlrabi gegart	150	30	0,3	grün	grün	gelb
Kohlrabigemüse mit Soße	250	93	0,8	gelb	grün	grün
Kohlroulade Konserve	250	215	0,6	rot	grün	grün
Kohlroulade mit Hackfüllung	300	240	1,6	rot	gelb	gelb

Produktbezeichnung	Portion in g	kcal pro Portion	BE pro Portion	Fett-faktor	Satt-faktor	GLYX-faktor
Kohlrübe gegart	150	33	0,5	grün	grün	gelb
Kokosfett	20	176		rot	rot	
Kokosmakronen	25	110	0,9	rot	gelb	gelb
Kokosmilch	100	24	0,4	gelb	rot	rot
Kokosnuss	50	179	0,2	rot	grün	
Kokosnussraspeln	10	61		rot	grün	
Kölln						
– Blütenzarte Flocken	40	141	1,9	gelb	grün	
– Cakes	25	122	1,2	rot	gelb	
– Feinschmecker Müsli	40	143	2,1	gelb	grün	
– Früchte Vollkorn Müsli	40	140	2,1	gelb	grün	
– Haferfleks mit Kleie	40	142	1,8	gelb	grün	
– Haferkleie Flocken	5	16	0,2	gelb	grün	
– Instant Flocken	5	18	0,2	gelb	grün	
– Joghurt Müsli	40	158	2,0	gelb	grün	
– Knusper Müsli Apfel und Zimt	40	173	2,1	gelb	grün	
– Knusper Müsli Schoko Krokant	40	181	2,0	gelb	gelb	
– Knusperflakes Müsli Honig	40	173	2,3	gelb	gelb	
– Knusperflakes Müsli Schoko	40	166	2,2	gelb	gelb	
– Knusperflakes Müsli Selection	40	157	2,4	gelb	grün	
– Knusperflakes Müsli Zimt	40	178	2,3	gelb	gelb	
– Knusprige Haferfleks	40	154	2,5	grün	grün	
– Schoko Müsli	40	160	2,1	gelb	gelb	
– Köllns Echt Körnige	40	141	1,9	gelb	grün	
– Köllns Multikorn Flocken	40	132	2,1	grün	grün	
Kölsch	330	152	1,1	grün	rot	gelb
Kondensmilch 10 % Fett	15	26		rot	rot	
Konfekt, Schöller	7	26	0,2	rot	rot	
Konfitüre einfach	25	70	1,4	grün	rot	rot
Konfitüre extra	25	65	1,3	grün	rot	rot
Königsberger Klops m. Kapernsoße	260	361	1,3	rot	rot	gelb
Königskuchen	70	244	2,9	rot	rot	gelb

Produktbezeichnung	Portion in g	kcal pro Portion	BE pro Portion	Fett-faktor	Satt-faktor	GLYX-faktor
Königsrolle, Langnese	70	128	1,4	gelb	rot	
Kopfsalat	50	6		grün	grün	grün
Kopfsalat mit Dressing	100	110		gelb	gelb	grün
Koriander	1	3		gelb	grün	grün
Krabben	100	91		grün	rot	
Krabben Konserve netto	65	47		grün	rot	
Krabbencocktail mit Mayonnaise	150	240	0,6	rot	rot	gelb
Kräcker	25	94	1,6	grün	gelb	rot
Kraftbrühe	300	159		rot	rot	
Kraftbrühe mit Nudeln	330	208	1,1	rot	rot	gelb
Krakauer	30	90		rot	rot	
Krapfen	200	342	5,5	grün	rot	rot
Kräuterbutter	20	129		rot	rot	
Kräuteressig	15	3		grün	rot	
Kräutermischung frisch	5	2		grün	grün	
Kräuterquark 30 % F. i. Tr.	50	50	0,2	rot	rot	
Kräuterquark 40 % F. i. Tr.	50	72	0,1	rot	rot	
Kräutersalz	1	0		grün	grün	
Kräutertee	125	1		grün	rot	
Krautsalat mit Speck u. Zwiebeln	100	93	0,3	rot	grün	grün
Krautspätzle	200	272	2,9	gelb	grün	gelb
Krebssuppe	400	492	0,8	rot	rot	
Krebstiere gegart	100	93		grün	rot	
Kresse	150	57	0,2	grün	grün	
Kresse getrocknet	1	3		grün	grün	grün
Kreuzkümmel	1	4		gelb	grün	
Krokant	20	90	1,4	grün	rot	gelb
Küchenkräuter frisch	5	3		grün	grün	
Kümmel	1	4		grün	grün	
Kümmelstange	70	326	3,1	gelb	rot	gelb
Kumquat	125	85	1,5	grün	grün	gelb
Kumquatkonfitüre	25	70	1,4	grün	rot	rot

Produktbezeichnung	Portion in g	kcal pro Portion	BE pro Portion	Fett-faktor	Satt-faktor	GLYX-faktor
Kunsthonig	25	84	1,7	🟢	🔴	🔴
Kunstspeiseeis	75	46	0,9	🟢	🔴	🔴
Kürbis gegart	150	41	0,6	🟢	🟢	🟡
Kürbis Konserve netto	150	33	0,4	🟢	🟢	🟡
Kürbiscremesuppe	350	238	1,1	🔴	🟡	🟢
Kürbiskern	20	112	0,2	🟡	🟡	
Kürbiskompott	250	105	1,9	🟢	🟡	🔴
Kürbissuppe	350	53	0,8	🟢	🟡	🟡
Kurkuma Gewürz	1	4		🟡	🟡	
L						
Labskaus Konserve	500	515	3,0	🟡	🟡	🟡
Labskaus mit Rote Bete	350	396	2,3	🟡	🟡	🟡
Lachs	150	197		🟢	🔴	
Lachs gegart	180	144		🟢	🔴	
Lachs gekocht	200	398		🟢	🔴	
Lachs geräuchert	75	104		🟢	🔴	
Lachsfilet	150	168		🟢	🔴	
Lachsfilet gegart	150	195		🟡	🔴	
Lakritze	25	94	1,8	🟢	🔴	🔴
Lammfilet	150	225		🟡	🔴	
Lammkotelett	200	502		🔴	🔴	
Landjäger	150	684		🔴	🔴	
Landmettwurst	30	93		🔴	🔴	
Languste	100	102		🟢	🔴	
Lasagne al forno	350	525	2,2	🔴	🔴	🟡
Lätta Halbfettmargarine	10	38	0,0	🔴	🔴	
Lauchcremesuppe	350	319	1,7	🔴	🔴	🟡
Lauchgemüse gedünstet	250	138	0,9	🟡	🟢	🟢
Lauchgemüse in heller Soße	250	135	0,9	🔴	🟢	🟢
Lauchsuppe	350	294	1,0	🔴	🔴	🟡
Lauchsuppe passiert	350	319	1,0	🔴	🔴	🟡

Produktbezeichnung	Portion in g	kcal pro Portion	BE pro Portion	Fett-faktor	Satt-faktor	GLYX-faktor
Lauchzwiebel	30	13	0,2	○○●	○○●	○○●
Laugengebäck	50	170	2,9	○○●	○●○	●○○
Leberkäse	30	81		●○○	●○○	
Leberkäse gebraten	130	369		●○○	●○○	
Leberklößchen	50	70	0,3	○●○	●○○	○●○
Leberknödel Konserve netto	150	237	1,3	●○○	●○○	○●○
Leberknödelsuppe	350	196	1,0	●○○	●○○	○●○
Leberpastete	30	90		●○○	●○○	
Leberspätzle	50	98	1,0	○●○	●○○	○●○
Leberspätzle in Fleischbrühe	350	133	0,4	●○○	●○○	○●○
Lebertran	15	132		○○●	●○○	
Leberwurst einfach	30	99		●○○	●○○	
Leberwurst fein	30	98		●○○	●○○	
Leberwurst fettarm	30	81		●○○	●○○	
Leberwurst grob	30	97		●○○	●○○	
leicht und cross	6	21	0,4	○○●	○●○	●○○
Leinöl	12	105		○○●	●○○	
Leinsamen	20	74		○○●	○○●	○○●
Leinsamen geschrotet	20	76		○○●	○○●	○○●
Leipziger Allerlei	250	95	0,9	●○○	○○●	○●○
Leng gegart	180	113		○○●	●○○	
Lengfilet gegart	150	144		○○●	●○○	
Liebesperlen	25	95	1,9	○○●	●○○	●○○
Liebstöckel frisch	5	2		○○●	○○●	○○●
Lift Apfelsaftschorle	200	50	1,0	○○●	●○○	
Likörwein	50	77	0,5	○○●	●○○	●○○
Lila Pause, Milka						
– Caramel	34	171	1,6	●○○	●○○	
– Erdbeer	34	189	1,5	●○○	●○○	
– Nuss	34	173	1,3	●○○	●○○	
Limabohne frisch	150	98	1,5	○○●	○○●	○○●
Limabohne frisch gegart	150	98	1,5	○○●	○○●	○○●

Produktbezeichnung	Portion in g	kcal pro Portion	BE pro Portion	Fett-faktor	Satt-faktor	GLYX-faktor
Limabohne getrocknet	50	155	2,4	grün	grün	grün
Limabohne getrocknet gegart	150	120	1,8	grün	grün	grün
Limabohne Konserve netto	150	81	1,2	grün	grün	grün
Limburger 20 % F. i. Tr.	30	56		rot	rot	
Limburger 45 % F. i. Tr.	30	86		rot	rot	
Limette	125	59	0,2	gelb	gelb	grün
Limettensaft	200	184	2,6	grün	rot	grün
Limonade kalorienarm	200	6		grün	rot	grün
Limonade koffeinhaltig	200	122	1,8	grün	rot	rot
Limonade mit Fruchtgeschmack	200	84	1,7	grün	rot	rot
Limonade mit Fruchtsäften	200	100	2,0	grün	rot	rot
Limonade mit Kohlensäure	200	84	1,7	grün	rot	rot
Linsen	150	464	6,2	grün	grün	grün
Linsen gegart	150	173	2,3	grün	grün	grün
Linsen gekeimt	100	119	1,6	grün	grün	grün
Linsen Konserve netto	150	116	1,5	grün	grün	grün
Linseneintopf	450	374	3,9	grün	grün	grün
Linseneintopf mit Würstchen	450	531	3,8	gelb	gelb	grün
Linsengemüse mit Speck	250	420	2,8	rot	gelb	grün
Linsensuppe	400	260	2,3	gelb	grün	grün
Linzer Torte	120	500	4,4	rot	rot	gelb
Lion	45	220	2,6	gelb	rot	
Lion Peanut	40	194	1,9	rot	rot	
Litchi	125	95	1,8	grün	gelb	gelb
Litchi Konserve netto	125	123	2,4	grün	gelb	rot
Löffelbiskuit	5	21	0,3	grün	rot	gelb
Lorbeer	1	0		gelb	grün	grün
Lotos Wurzel frisch	150	119	2,1	grün	rot	rot
Löwenzahn	150	81	1,1	grün	grün	gelb
Löwenzahn gegart	150	78	1,0	grün	grün	gelb
Löwenzahntrunk	200	36	0,5	grün	rot	rot
Luzernensprossen	12	4		grün	grün	grün

Produktbezeichnung	Portion in g	kcal pro Portion	BE pro Portion	Fett-faktor	Satt-faktor	GLYX-faktor
M						
M&M's Choko	45	216	2,5	🟡	🔴	
M&M's Minis	45	220	2,4	🟡	🔴	
M&M's Peanut	45	228	2,1	🔴	🔴	
Macadamianuss	20	135		🟢	🟢	🟢
Macadamianuss geröstet u. gesalzen	20	138		🟢	🟡	🟢
Madeirasoße	60	35	0,3	🔴	🟡	🟢
Madeirawein	50	84	0,4	🟢	🔴	🔴
Maggi	1	1		🟡	🔴	
Maggi Fix f. Spag. Bolognese trocken	50	178	2,1	🟡	🔴	
Magnum						
– Classic	86	282	2,3	🔴	🔴	
– Double	92	389	2,8	🔴	🔴	
– Mandel	86	316	2,3	🔴	🔴	
– Weiß	86	285	2,4	🔴	🔴	
Mais frisch gegart	150	134	2,0	🟢	🟢	🟡
Mais Konserve gegart	150	114	1,6	🟢	🟢	🟡
Maisfladenbrot	45	100	1,7	🟢	🔴	🔴
Maisgrieß	40	138	2,5	🟢	🟡	🔴
Maiskeimöl	12	106		🟢	🔴	
Maismehl	10	35	0,6	🟢	🔴	🔴
Maisstärke	20	70	1,4	🟢	🔴	🔴
Majoran frisch	5	2		🟢	🟢	🟢
Majoran getrocknet	1	3		🟢	🟢	🟢
Makkaroni mit Tomatensoße	250	345	3,7	🟡	🟡	🟡
Makkaroniauflauf mit Schinken	350	543	4,1	🔴	🔴	🟡
Makrele geräuchert	75	144		🟢	🔴	
Makrele Konserve in Öl netto	60	118		🟢	🔴	
Makrele paniert	150	368	1,1	🔴	🔴	🟡
Makrelenfilet gegart	150	315		🟡	🔴	
Makronen	10	45	0,4	🟡	🟡	🟡
Maltesers	2	10	0,1	🟡	🔴	

Produktbezeichnung	Portion in g	kcal pro Portion	BE pro Portion	Fett-faktor	Satt-faktor	GLYX-faktor
Malzbier	330	182	3,0	grün	rot	rot
Malzkaffee	125	3		grün	rot	
Mamba	5	18	0,3	grün	rot	
Mandarine	40	20	0,3	grün	grün	gelb
Mandarine Konserve netto	125	104	1,9	grün	gelb	rot
Mandarinensaft	200	94	1,6	grün	rot	rot
Mandel	20	114		grün	grün	grün
Mandel dragiert	25	134	0,5	gelb	grün	grün
Mandel geröstet	20	117		grün	grün	grün
Mandel geröstet und gesalzen	20	115		grün	grün	grün
Mandelgebäck Mürbeteig	50	252	2,2	rot	rot	gelb
Mandellikör	20	64	0,5	grün	rot	rot
Mandelmus gesalzen	20	117		gelb	gelb	
Mandelmus pur	20	119		gelb	gelb	
Mandelöl	12	106		grün	rot	
Mango	125	75	1,3	grün	grün	gelb
Mango gegart	125	79	1,4	grün	grün	gelb
Mango Konserve netto	125	111	2,1	grün	gelb	rot
Mangold	150	38	0,4	grün	grün	gelb
Mangold gegart	150	39	0,3	grün	grün	grün
Mangold Konserve netto	150	33	0,3	grün	grün	grün
Mangosaft	200	120	2,2	grün	rot	rot
Maoam Soft Stangen	5	20	0,3	grün	rot	
Maoam-Mini	4	18	0,3	grün	rot	
Maraschino Likör	20	64	0,5	grün	rot	rot
Margarine aus Sojaöl gehärtet	20	144		grün	rot	
Margarine halbfett	20	72		grün	rot	
Margarine pflanzlich	20	142		rot	rot	
Markklößchen	50	210	1,0	rot	rot	gelb
Markklößchen Konserve	50	205	0,9	rot	rot	gelb
Marmel. Steinobst m. Fruchtzucker	25	27	0,6	grün	rot	gelb
Marmelade	25	70	1,4	grün	rot	rot

Produktbezeichnung	Portion in g	kcal pro Portion	BE pro Portion	Fett-faktor	Satt-faktor	GLYX-faktor
Marmelade mit Süßstoff	25	17	0,4	🟢	🟢	🟢
Marmorkuchen	70	274	2,5	🔴	🔴	🟡
Maronencreme süß	25	67	1,3	🟢	🟡	🔴
Mars	58	260	3,3	🟡	🔴	
Mars Miniatures	7	32	0,4	🟡	🔴	
Marseiller Fischsuppe Konserve	250	163	0,3	🟡	🔴	🟡
Marshmallow	5	17	0,3	🟢	🔴	🔴
Marzipan	15	69	0,9	🟢	🟡	🟡
Marzipan Rohmasse	15	77	0,5	🟡	🟡	🟢
Marzipanstollen	100	389	3,9	🔴	🟡	🟡
Mascarpone	50	230	0,1	🔴	🔴	
Mate Tee	125	0		🟢	🔴	
Matjeshering gesalzen	75	212		🔴	🟢	
Matjeshering Hausfrauenart	250	485	0,5	🔴	🟢	🟡
Maulbeere	125	55	0,8	🟢	🟢	🟡
Maulbeere Konserve netto	125	100	1,8	🟢	🟡	🔴
Maultaschen schwäbisch	250	383	3,1	🟡	🔴	🟡
Maxi Brezli	25	94	1,4	🟢	🟡	
Mayonnaise 50 % Fett	15	72		🔴	🔴	
Mayonnaise 80 % Fett	15	111		🔴	🔴	
Mayonnaise leicht	15	55		🟡	🔴	
Mayonnaise Salatdressing	15	59		🔴	🔴	
McChicken, McDonalds	178	459	3,6	🔴	🔴	
McCroissant, McDonalds	94	307	2,0	🔴	🔴	
McRib, McDonalds	209	477	3,7	🟡	🔴	
Meeresfrüchtecocktail	150	194	0,3	🟡	🔴	🟡
Meerrettich	10	6		🟢	🟢	🟢
Meerrettich gegart	10	5		🟢	🟢	🟢
Meerrettich Sahnesoße	60	83	0,4	🔴	🟢	🟢
Meerrettichsoße Konserve	60	62	0,5	🔴	🔴	🟡
Meersalz	1	0		🟢	🔴	
Mehlkloß mit Backobst	250	410	5,5	🟡	🟡	🟡

Produktbezeichnung	Portion in g	kcal pro Portion	BE pro Portion	Fett-faktor	Satt-faktor	GLYX-faktor
Mehlklöße	200	280	4,0	gelb	rot	gelb
Mehlschwitze hell Trockenprodukt	10	57	0,4	rot	rot	
Mehrfruchtnektar mit Süßstoff	200	62	1,0	grün	rot	rot
Mehrkornbrot	45	99	1,7	grün	gelb	rot
Melassesirup dunkel	25	70	1,4	grün	rot	rot
Melisse	1	3		gelb	grün	grün
merci Crocant	4	22	0,2	rot	rot	
merci Vielfalt	13	69	0,5	rot	rot	
Mettwurst gekocht	30	101		rot	rot	
Mettwurst grob	30	93		rot	rot	
Mettwurst schnittfest	30	110		rot	rot	
Mettwurst streichfähig	30	109		rot	rot	
Mezzo Mix Orange	200	86	1,8	grün	rot	
Miesmuschel gegart	100	69	0,3	grün	rot	gelb
Miesmuschel Konserve in Öl netto	60	79	0,2	gelb	rot	
Miesmuschel Konserve netto	65	43	0,2	grün	rot	
Milch 1,5 % Fett	200	96	0,8	rot	rot	gelb
Milch 3,5 % Fett	200	128	0,8	rot	rot	gelb
Milchreis mit Früchten	250	338	5,4	gelb	rot	rot
Milchreis mit Zucker und Zimt	250	325	4,3	gelb	rot	gelb
Milchschnitte	28	117	0,8	rot	rot	
Milchshake Erdbeer, McDonalds	240	290	3,8	gelb	rot	
Milchshake Schoko, McDonalds	240	302	4,0	gelb	rot	
Milchshake Vanille, McDonalds	240	293	3,9	gelb	rot	
Milchspeiseeis	75	64	0,8	rot	rot	gelb
Milchsuppe	320	291	2,9	rot	rot	gelb
Milchzucker	5	20	0,4	grün	rot	gelb
Milky Way	25	113	1,5	gelb	rot	
Milky Way Brotaufstrich	25	135	1,2	rot	rot	
Milky Way Miniatures	5	23	0,3	gelb	rot	
Mineralwasser mit Kohlensäure	200	0		grün	rot	
Mineralwasser still	200	0		grün	rot	

Produktbezeichnung	Portion in g	kcal pro Portion	BE pro Portion	Fett-faktor	Satt-faktor	GLYX-faktor
Minestrone	400	304	2,5	gelb	grün	gelb
Mini Milk Erdbeer, Langnese	23	35	0,4	gelb	rot	
Mini Milk Vanille, Langnese	23	33	0,4	gelb	rot	
Mirabelle	125	80	1,5	grün	gelb	gelb
Mirabelle gegart	125	84	1,5	grün	gelb	gelb
Mirabelle Konserve netto	125	114	2,2	grün	gelb	rot
Mirabellekonfitüre	25	70	1,4	grün	rot	rot
Mirabellensaft	200	128	2,4	grün	rot	rot
Miracoli Spaghettigericht	250	325	4,4	gelb	rot	
Mischgemüse gedünstet	250	133	1,4	gelb	grün	gelb
Mischgemüse in Rahmsoße	250	168	1,3	rot	grün	grün
Miso	20	23		gelb	grün	
Mispel	25	12	0,2	grün	grün	grün
Mister Long, Langnese	93	78	1,6	grün	rot	
Mohn	10	47		gelb	grün	
Mohn geschrotet	10	48		gelb	grün	
Mohnhörnchen	50	166	2,0	gelb	gelb	gelb
Mohnstollen	100	321	3,1	gelb	gelb	gelb
Möhre	150	32	0,5	grün	grün	grün
Möhre gegart	150	32	0,5	grün	grün	grün
Möhre Konserve netto	150	32	0,5	grün	grün	grün
Mohrenkopf	20	87	1,2	gelb	rot	
Möhrenrohkost mit Öl	130	69	0,5	gelb	grün	grün
Möhrentrunk	200	44	0,7	grün	gelb	grün
Mokkacreme	200	380	2,9	rot	rot	gelb
Mokkasahnetorte	100	306	2,3	rot	rot	gelb
Mokkaspeise	250	335	4,7	gelb	rot	gelb
Molke	200	50	0,8	grün	rot	gelb
Mon cheri	11	53	0,5	gelb	rot	
Moosbeere	125	45	0,4	grün	grün	grün
Morchel frisch	100	11		gelb	grün	grün
Morchel getrocknet	25	25		gelb	grün	grün

Produktbezeichnung	Portion in g	kcal pro Portion	BE pro Portion	Fett-faktor	Satt-faktor	GLYX-faktor
Morchel Konserve netto	100	11		○●○	○○●	○○●
Mortadella fettarm	30	52		●○○	●○○	
Most Apfelwein	130	56		○○●	●○○	
Mousse au chocolat	200	414	3,2	●○○	●○○	○●○
Mousse au Chocolat Premium-Mousse	100	180	1,7	●○○	●○○	
Mövenpick						
– Birne Helene	100	209	2,3	○●○	●○○	
– Blutorange Eis	70	124	1,7	○●○	●○○	
– Caramelita Cream	100	237	2,7	○●○	●○○	
– Cassis Vanilla	100	188	2,4	○●○	●○○	
– Chocolat Chips	100	243	2,4	●○○	●○○	
– Cioccolata Stracciatella	100	303	2,2	●○○	●○○	
– Citronen Sorbet	100	123	2,4	○○●	●○○	
– Coffee Cream	100	233	2,1	●○○	●○○	
– Creme Vanilla	100	246	1,7	●○○	●○○	
– Gebrannte Mandel	100	251	2,2	●○○	●○○	
– La Crema Caramelita	85	312	1,8	●○○	●○○	
– La Crema Chocolat Chips	86	337	1,8	●○○	●○○	
– Mango Creme Fraiche	100	160	2,0	○●○	●○○	
– Maple Walnuts	100	274	2,2	●○○	●○○	
Mozzarella	125	319		●○○	●○○	
Muffins	60	130	1,9	○○●	●○○	●○○
Muffins mit Heidelbeeren	60	169	2,0	○●○	●○○	○●○
Muffins mit Schokolade	60	172	1,9	○●○	○○●	○●○
Müller						
– Diät Buttermilch Erdbeer	200	70	0,8	○○●	●○○	
– Diät Buttermilch Multivitamin	200	84	1,1	○○●	●○○	
– Grießbrei Pur	200	274	2,5	●○○	●○○	
– Grießbrei Schoko	200	270	2,7	○●○	●○○	
– Grießbrei Zimt	200	276	2,9	○●○	●○○	
– Knusper Joghurt	175	240	2,1	○●○	●○○	
– Milchreis	200	220	3,0	○●○	●○○	

Produktbezeichnung	Portion in g	kcal pro Portion	BE pro Portion	Fett-faktor	Satt-faktor	GLYX-faktor
– Milchreis Caramel	200	220	3,2	gelb	rot	
– Milchreis Diät	200	174	2,1	gelb	gelb	
– Milchreis Diät Himbeer	200	170	2,2	gelb	gelb	
– Milchreis Himbeer	200	222	3,3	gelb	rot	
– Milchreis Kirsch	200	228	3,5	gelb	rot	
– Milchreis Leicht Apfel-Zimt	200	138	2,0	grün	gelb	
– Milchreis Leicht Erdbeer	200	146	2,1	grün	gelb	
– Milchreis Leicht Himbeer	200	224	2,1	grün	gelb	
– Milchreis Leicht Schoko	200	146	2,0	grün	gelb	
– Milchreis Schoko	200	224	3,2	gelb	rot	
– Milchreis Vanille	200	214	3,0	gelb	rot	
– Milchreis Zimt	200	222	3,2	gelb	rot	
– Müllermilch Banane	200	146	2,0	grün	rot	
– Müllermilch Erdbeer	200	150	2,0	grün	rot	
– Müllermilch Leicht u. Fit Himbeer	200	104	1,1	gelb	rot	
– Müllermilch Schoko	200	154	2,0	gelb	rot	
Multivitaminnektar m. Süßstoff	200	64	1,0	grün	rot	rot
Mungobohne	150	410	5,2	grün	grün	gelb
Mungobohnensprossen	100	24		grün	grün	grün
Münster 45 % F. i. Tr.	30	88		rot	rot	
Mürbeteig	100	479	4,4	rot	rot	gelb
Musaka	300	417	1,5	rot	rot	gelb
Muscheln im Weißweinsud	200	118	0,6	grün	rot	gelb
Muscheln in Tomatensoße	200	234	0,6	rot	rot	gelb
Muskatnuss	1	5		rot	rot	
Müsli	40	140	2,0	grün	grün	gelb
Müsli mit Milch, Zucker u. Obst	150	189	2,9	grün	gelb	gelb
Müslikeks Vollkorn	20	88	0,8	gelb	gelb	gelb
Müsliriegel	25	94	0,9	gelb	gelb	gelb

Produktbezeichnung	Portion in g	kcal pro Portion	BE pro Portion	Fett-faktor	Satt-faktor	GLYX-faktor
N						
Nährhefe	5	4		grün	grün	
Napfkuchen Hefeteig	100	349	3,5	gelb	rot	gelb
Nasi Goreng	550	803	7,8	rot	rot	gelb
Natrium Glutamat	1	2		grün	rot	
Nektarine	115	66	1,2	grün	grün	gelb
Nektarine gegart	115	68	1,2	grün	grün	gelb
Nektarine Konserve netto	125	108	2,1	grün	grün	gelb
Nektarinenkonfitüre	25	69	1,4	grün	rot	rot
Nektarinennektar	200	134	2,6	grün	rot	rot
Nescafe Cappuccissimo cremig zart	120	49	0,6	gelb	rot	
Nescafe frappe Eiskaffee mit Milch	200	186	1,9	gelb	rot	
Nesquik mit Milch 3,5 % Fett	200	205	2,1	gelb	rot	
Nestea Eistee Zitrone	200	78	1,7	grün	rot	
nimm 2	6	23	0,5	grün	rot	
nimm 2 Lachgummi	25	81	1,5	grün	grün	
Nizza-Salat mit Thunfisch	200	180	0,7	gelb	gelb	grün
Nogger Original, Langnese	78	225	1,5	rot	rot	
Nougat	25	119	1,4	gelb	rot	gelb
Nougatcreme	25	104	1,5	rot	gelb	gelb
Nucki Erdbeer, Schöller	74	189	2,2	gelb	rot	
Nucki Nuss, Schöller	73	257	2,2	rot	rot	
Nudelauflauf mit Käse	350	665	3,5	rot	rot	gelb
Nudelauflauf mit Schinken	350	536	5,8	rot	rot	gelb
Nudeleintopf mit Huhn u. Gemüse	400	384	2,3	rot	rot	gelb
Nudeln gegart eifrei	125	188	3,2	grün	gelb	rot
Nudeln gegart mit Ei	125	158	2,5	grün	gelb	rot
Nudeln selbstgemacht	200	276	3,8	grün	rot	gelb
Nudeln selbstgemacht mit Ei	200	308	3,8	gelb	rot	gelb
Nudelsuppe	330	145	1,3	gelb	rot	gelb
Nürnberger Lebkuchen	40	160	2,1	grün	rot	gelb
Nuss Nougat Creme	25	130	1,2	rot	rot	gelb

Produktbezeichnung	Portion in g	kcal pro Portion	BE pro Portion	Fett-faktor	Satt-faktor	GLYX-faktor
Nüsse	20	112		grün	gelb	grün
Nussecken Mürbeteig	50	270	2,0	rot	rot	gelb
Nusskuchen	50	228	1,4	rot	rot	gelb
Nusskuchen Fertigmischung	60	311	2,5	gelb	rot	gelb
Nussmus	20	130	0,2	gelb	rot	
Nussplätzchen	50	233	2,0	rot	rot	gelb
Nusspudding	250	895	5,0	gelb	rot	gelb
Nusssahnetorte	120	415	2,7	rot	rot	gelb
Nutella	25	129	1,1	rot	rot	
Nuts	55	260	3,0	gelb	rot	
O						
Obstessig	15	3		grün	rot	
Obstkuchen aus Rührmasse	150	321	3,5	rot	rot	gelb
Obstkuchen Fertigmischung trock.	60	311	2,5	gelb	rot	gelb
Obstkuchen Hefeteig	150	216	3,1	gelb	gelb	gelb
Obstmischung getrocknet	25	72	1,4	grün	grün	gelb
Obstmischung Konfitüre	25	69	1,4	grün	rot	rot
Obstmischung Konserve netto	125	134	2,7	grün	rot	rot
Obstmischung TK	125	111	2,1	grün	grün	gelb
Obstsalat	150	131	2,4	grün	grün	gelb
Obsttörtchen Mürbeteig	100	198	2,0	rot	rot	gelb
Obsttorte Mürbeteig	120	238	2,5	rot	rot	gelb
Obstwein	130	86	0,8	grün	rot	gelb
Ochsenschwanzsuppe gebunden	350	133	0,4	rot	rot	gelb
Ochsenschwanzsuppe klar	350	126	0,2	rot	gelb	
Ochsenschwanzsuppe klar Trockenpr.	50	63		rot	rot	
Okra	150	30	0,3	grün	grün	grün
Okra gegart	150	30	0,3	grün	grün	grün
Okra Konserve gegart	150	26	0,2	grün	grün	grün
Olive grün	20	26		grün	grün	grün
Olive grün gesäuert	20	29		grün	gelb	grün

Produktbezeichnung	Portion in g	kcal pro Portion	BE pro Portion	Fett-faktor	Satt-faktor	GLYX-faktor
Olive schwarz	20	69		🟢	🟡	🟢
Olive schwarz gesäuert	20	71		🟢	🟡	🟢
Olivenöl	12	106		🟢	🔴	
Omelett	140	273		🔴	🔴	
Omelett mit Champignons	200	322	0,3	🔴	🔴	🟡
Onion Rings 8 Stück, Burger King	104	306	2,4	🔴	🔴	
Orange	150	71	1,1	🟢	🟢	🟡
Orangeat	5	15	0,3	🟢	🔴	🔴
Orangencreme	150	155	2,4	🟢	🔴	🔴
Orangenkonfitüre	25	68	1,4	🟢	🔴	🔴
Orangenlimonade	200	58	1,2	🟢	🔴	🔴
Orangennektar	200	126	2,4	🟢	🔴	🔴
Orangennektar mit Süßstoff	200	44	0,7	🟢	🔴	🔴
Oregano frisch	5	3		🟡	🟢	🟢
Oregano getrocknet	1	3		🟢	🟢	🟢
Ovomaltine	4	15	0,3	🟢	🟡	🔴
P						
Paella	550	946	5,9	🟡	🔴	🟡
Paella TK	300	235	2,3	🟡	🟡	
Palatschinken	150	347	4,1	🔴	🔴	🟡
Palmenherz	150	54	0,8	🟢	🟢	🟢
Palmenherz frisch gegart	150	47	0,6	🟢	🟢	🟢
Palmöl	20	174		🔴	🔴	
Pamesello 35 % F. i. Tr.	30	134	0,0	🔴	🔴	
Pampelmuse	125	58	1,0	🟢	🟡	🟡
Pampelmusensaft	200	86	1,5	🟢	🔴	🔴
Paniermehl	8	29	0,5	🟢	🟡	🔴
Papaya	80	10		🟢	🟢	🟢
Papaya gegart	125	18	0,3	🟢	🟢	🟡
Papaya getrocknet	25	47	0,7	🟢	🟢	🟡
Papaya Konserve netto	125	75	1,5	🟢	🟢	🔴

Produktbezeichnung	Portion in g	kcal pro Portion	BE pro Portion	Fett-faktor	Satt-faktor	GLYX-faktor
Papayanektar	200	90	1,8	grün	rot	rot
Paprika Gewürz	1	3		gelb	grün	grün
Paprikahuhn mit Soße	250	413	0,3	rot	rot	gelb
Paprikaschote	150	30	0,4	grün	grün	grün
Paprikaschote gefüllt mit Hack	300	231	1,7	gelb	gelb	grün
Paprikaschote Konserve netto	150	26	0,3	grün	grün	grün
Paranuss	20	132		grün	gelb	
Parmesan 45 % F. i. Tr.	30	132		rot	rot	
Passionsfrucht	125	100	1,4	grün	gelb	gelb
Passionsfrucht Konserve netto	125	133	2,1	grün	gelb	gelb
Passionsfruchtnektar	200	120	2,2	grün	rot	rot
Pastinake gegart	150	26	0,2	grün	grün	grün
Pecannuss	20	138		grün	gelb	grün
Pecannuss geröstet	20	143	0,2	grün	rot	grün
Perlzwiebel frisch	15	11	0,2	grün	grün	grün
Perlzwiebel gesäuert	50	19	0,3	grün	grün	grün
Perlzwiebel Konserve netto	50	31	0,6	grün	grün	grün
Persipan	15	69	1,0	grün	rot	gelb
Pesto	25	143	0,0	rot	rot	
Petersilie frisch	5	3		grün	grün	grün
Petersilie getrocknet	1	3		grün	grün	grün
Pfälzer Saumagen	30	47	0,2	gelb	rot	
Pfannkuchen	250	428	4,7	gelb	rot	gelb
Pfannkuchen mit Konfitüre	250	455	3,8	rot	rot	gelb
Pfeffer schwarz	1	3		grün	grün	
Pfeffer weiß	1	3		grün	gelb	
Pfefferkuchen	50	190	2,8	grün	gelb	gelb
Pfefferminze, getrocknet	1	0		grün	grün	grün
Pfefferminztee	125	1		grün	rot	
Pfefferschote getrocknet	2	5		grün	grün	grün
Pfefferschote Konserve netto	50	16	0,2	grün	grün	grün
Pfeffersteak mit Soße	250	373		rot	rot	

Produktbezeichnung	Portion in g	kcal pro Portion	BE pro Portion	Fett-faktor	Satt-faktor	GLYX-faktor
Pfifferling	100	11		gelb	grün	grün
Pfifferling gedünstet	200	118	0,8	gelb	grün	grün
Pfifferling getrocknet	25	30		gelb	grün	grün
Pfifferling Konserve netto	100	11		gelb	grün	grün
Pfirsich	115	47	0,9	grün	grün	gelb
Pfirsich Konserve netto	125	95	1,9	grün	grün	gelb
Pfirsichkompott	250	135	2,6	grün	grün	gelb
Pfirsichkonfitüre	25	68	1,4	grün	rot	rot
Pfirsichsaft	200	86	1,6	grün	rot	rot
Pflaume	125	59	1,1	grün	grün	gelb
Pflaume getrocknet	25	65	1,2	grün	grün	gelb
Pflaumen Konserve netto	125	101	1,9	grün	gelb	rot
Pflaumenmus	25	49	1,0	grün	gelb	rot
Pflaumensaft	200	98	1,8	grün	rot	rot
Pflaumenstreuselkuchen Fertigmisch.	150	318	2,6	rot	rot	gelb
Pichelsteiner	450	279	2,8	gelb	grün	gelb
Pichelsteiner Konserve	150	111	0,3	rot	gelb	gelb
Pickles süß-sauer	50	18	0,3	grün	grün	gelb
Pilaw Reis	250	605	6,8	rot	rot	gelb
Pilsbier hell	330	139	0,9	grün	rot	gelb
Pilze chinesisch getrocknet	25	59	1,4	grün	grün	grün
Pilzsoße dunkel	60	35	0,3	rot	gelb	grün
Pilzsoße hell	60	47	0,3	rot	rot	gelb
Pilzsuppe	320	118	0,7	rot	grün	grün
Piment	1	3		gelb	grün	
Pimpinelle frisch	5	2		grün	grün	grün
Pinienkern	20	115		grün	gelb	grün
Pistazie	20	115	0,2	grün	gelb	
Pistazie geröstet	20	125	0,3	grün	rot	grün
Pistazie geröstet und gesalzen	20	123	0,3	grün	rot	grün
Pizza al formaggio	250	710	5,7	rot	rot	gelb
Pizza ai funghi	250	520	5,5	gelb	gelb	gelb

Produktbezeichnung	Portion in g	kcal pro Portion	BE pro Portion	Fett-faktor	Satt-faktor	GLYX-faktor
Pizza Culinaria, Dr. Oetker						
– American Style	380	885	7,3	🟡	🔴	
– Chinese Style	410	845	8,7	🟡	🔴	
– Greek Style	340	843	7,1	🔴	🔴	
– Indian Style	415	896	8,4	🟡	🔴	
– Mexican Style	375	859	8,5	🟡	🔴	
Pizza margherita	250	645	9,2	🟢	🟡	🟡
Pizza napolitana	250	618	5,6	🟡	🔴	🟡
Pizza quattro stagioni	250	540	7,1	🟡	🟡	🟡
Pizza salami	250	660	5,5	🟡	🔴	🟡
Plätzchen Mürbeteig	50	245	2,4	🔴	🔴	🟡
Plätzchen Rührteig	50	158	2,2	🟡	🔴	🟡
Plockwurst	30	130		🔴	🔴	
Plumpudding	250	660	6,7	🟡	🔴	🟡
Pocket Coffee	13	51	0,6	🟡	🔴	
Pökelfleisch	30	41		🔴	🔴	
Polenta	250	348	2,2	🔴	🔴	🟡
PomBär						
– Cheese	25	129	1,3	🔴	🔴	
– Ketchup	25	128	1,3	🔴	🔴	
– Original	25	132	1,3	🔴	🔴	
– Paprika	25	126	1,2	🔴	🔴	
Pommes frites	150	186	2,1	🟢	🟡	🟡
Pommes frites aus dem Backofen	150	381	4,7	🟡	🔴	
Pommes frites fein	150	561	5,2	🔴	🔴	
Pommes frites mit Ketchup	150	159	1,9	🟡	🟡	🟡
Pommes frites mit Mayonnaise	150	278	1,6	🟡	🔴	🟡
Pommes frites mittel, McDonalds	100	306	3,2	🔴	🔴	
Popcorn süß	12	58	0,7	🟡	🟡	
Porree	150	39	0,4	🟢	🟢	🟢
Porree gegart	150	35	0,3	🟢	🟢	🟢
Portwein	50	77	0,5	🟢	🔴	🟢

Produktbezeichnung	Portion in g	kcal pro Portion	BE pro Portion	Fett-faktor	Satt-faktor	GLYX-faktor
Pottasche	1	2		○○●	●○○	
Poularde	150	360		●○○	●○○	
Pralinen gefüllt alkoholfrei flüssig	12	49	0,8	○●○	●○○	●○○
Pralinen gefüllt mit Alkohol	12	46	0,7	○●○	●○○	●○○
Pralinen m. Nüssen	12	55	0,7	○●○	●○○	○●○
Pralinen m. Trüffel	12	62	0,5	●○○	○●○	○●○
Preiselbeere	125	49	0,7	○○●	○○●	○●○
Preiselbeere gegart	125	51	0,8	○○●	○○●	○●○
Preiselbeere Konserve netto	125	95	1,7	○○●	○○●	○●○
Preiselbeerkompott	250	308	6,0	○○●	○●○	●○○
Pringles						
– Barbecue	25	143	1,1	●○○	●○○	
– Cheese and Onion	25	140	1,0	●○○	●○○	
– Original	25	139	1,0	●○○	●○○	
– Paprika	25	134	1,0	●○○	●○○	
– Sour Cream and Onion	25	138	1,0	●○○	●○○	
Printen	20	93	1,0	○●○	○●○	○●○
Prinzregententorte	100	386	2,9	●○○	●○○	○●○
ProCult Drink Kirsch 0,1% Fett	200	74	0,9	○○●	●○○	
ProCult Drink Pfirsich 0,1% Fett	200	76	0,9	○○●	●○○	
ProCult Joghurt mit Kräutern	150	147	1,7	○●○	●○○	
Provolone 45 % F. i. Tr.	30	102		●○○	●○○	
Puffreis	50	195	3,5	○○●	●○○	●○○
Puffreis mit Zucker und Honig	50	192	3,5	○○●	●○○	●○○
Pumpernickel	40	75	1,3	○○●	○○●	○●○
Punica						
– Fruchtig Rot	200	30	0,6	○○●	●○○	
– Melon Tropic	200	28	0,5	○○●	●○○	
– Orangen-Nektar	200	90	1,8	○○●	●○○	
– Tea and Fruit Pfirsich	200	30	0,6	○○●	●○○	
Pute gegart	150	321		●○○	●○○	
Pute mit Haut gegart	150	380		●○○	●○○	

Produktbezeichnung	Portion in g	kcal pro Portion	BE pro Portion	Fett-faktor	Satt-faktor	GLYX-faktor
Putenbrust	150	161		○○●	●○○	
Putenbrust gebr. m. Gemüsesoße	250	170	0,6	○●○	○●○	○●○
Putenragout	350	483	0,8	●○○	●○○	○●○
Putenschenkel gegart	150	284		●○○	●○○	
Q						
Quark 20 % F. i. Tr.	30	30		●○○	●○○	
Quark Magerstufe	30	23		○○●	●○○	
Quark mit Früchten 40 % F. i. Tr.	100	129	1,4	●○○	●○○	○●○
Quark mit Früchten Magerstufe	100	103	1,5	○○●	●○○	●○○
Quark mit Kräutern 30 % F. i. Tr.	50	50	0,2	●○○	●○○	
Quark mit Kräutern 40 % F. i. Tr.	50	72	0,1	●○○	●○○	
Quarkklöße	150	354	3,6	●○○	●○○	○●○
Quarkspeise mit Erdbeeren	250	250	3,1	○○●	●○○	●○○
Quarkstrudel	150	336	3,5	○●○	●○○	○●○
Quarktasche	50	126	1,7	○○●	●○○	○●○
Quiche Lorraine	250	725	3,3	●○○	●○○	○●○
Quitte	125	49	0,8	○○●	○○●	○●○
Quitte gegart	125	51	0,8	○○●	○○●	○●○
Quittenkompott	250	95	1,7	○○●	○○●	○●○
Quittenkonfitüre	25	68	1,4	○○●	●○○	●○○
R						
Radicchio	50	7		○○●	○○●	○○●
Radieschen	100	15	0,2	○○●	○○●	○○●
Raffaello	10	60	0,3	●○○	●○○	
Ragout fin	180	268	0,3	●○○	●○○	○●○
Ragout fin Konserve	150	200	0,2	●○○	●○○	
Rahmbratensoße aus Trockenprodukt	60	53	0,3	●○○	●○○	
Rahmsoße Salatsoße	60	76	0,4	●○○	●○○	○●○
Rahmspinat	150	119		●○○	○○●	○○●
Rahmwirsingkohl mit Soße	250	180	0,6	●○○	○○●	○○●

Produktbezeichnung	Portion in g	kcal pro Portion	BE pro Portion	Fett-faktor	Satt-faktor	GLYX-faktor
Rama	10	72	0,0	🔴	🔴	
Rapsöl	12	105		🟢	🔴	
Raquelette 50 % F. i. Tr.	30	103		🔴	🔴	
Ratatouille	350	119	0,8	🟡	🟢	🟢
Rauchfleisch	30	39		🔴	🔴	
Ravioli mit Gemüse	250	343	2,7	🔴	🟢	🟢
Ravioli mit Gemüsekäsefüllung	200	434	2,9	🔴	🔴	🟡
Ravioli mit Tomatensoße	250	218	2,6	🟡	🟡	
Rebhuhn	150	333		🟡	🔴	
Red Bull	250	113	2,4	🟢	🔴	
Regenbogenforelle	150	170		🟡	🔴	
Regenbogenforelle geräuchert	75	90		🟡	🔴	
Rehkeule mit Preiselbeersoße	350	620	1,8	🔴	🔴	🟡
Rehpfeffer	400	788	1,6	🔴	🔴	🟡
Rehrücken	100	427	3,8	🔴	🔴	🟡
Rehrücken mit Soße und Birne	300	546	3,4	🟡	🔴	🟡
Reibekuchen	200	290	2,6	🟡	🟡	🟡
Reineclaude	125	79	1,4	🟢	🟢	🟡
Reineclaude gegart	125	83	1,5	🟢	🟢	🟡
Reineclaude Konserve netto	125	114	2,1	🟢	🟢	🟡
Reineclaudenkonfitüre	25	70	1,4	🟢	🔴	🔴
Reis geschält	60	209	3,9	🟢	🔴	🔴
Reis geschält gegart	180	167	3,1	🟢	🔴	🔴
Reis parboiled	60	211	3,9	🟢	🔴	🔴
Reis parboiled gegart	180	194	3,6	🟢	🔴	🔴
Reis ungeschält	60	209	3,7	🟢	🔴	🟡
Reis ungeschält gegart	180	202	3,5	🟢	🔴	🟡
Reisbrei	250	310	3,6	🔴	🔴	🟡
Reiscrispies	50	189	3,5	🟢	🔴	🔴
Reisfleisch	550	682	7,3	🟡	🔴	🟡
Reismehl	10	35	0,6	🟢	🔴	🔴
Reissalat m. Thunfisch u. Tomaten	200	208	2,0	🟡	🔴	🟡

Produktbezeichnung	Portion in g	kcal pro Portion	BE pro Portion	Fett-faktor	Satt-faktor	GLYX-faktor
Reissalat mit Mayonnaise	170	179	1,8	○●○	○●○	○●○
Remoulade 65 % Fett	15	96	0,2	●○○	●○○	
Remouladensoße	60	383		○●○	●○○	
Rettich	150	21	0,2	○○●	○○●	○○●
Rettich gegart	150	17	0,2	○○●	○○●	○○●
Rettich Trunk	200	10		○○●	○●○	○○●
Rhabarber gegart	150	21	0,2	○○●	○○●	○○●
Rhabarberkompott	250	235	4,6	○○●	○●○	○●○
Rhabarberkuchen mit Baiser	120	217	2,0	●○○	○●○	○●○
Rhabarbersaft	200	92	1,6	○○●	●○○	○○●
Rheinische Bratwurst	150	408		●○○	●○○	
Ricotta 45 % F. i. Tr.	30	49		●○○	●○○	
Riesengarnelen gegrillt	300	426	0,4	○○●	●○○	
Riesenscampi gegrillt	300	444	0,3	○○●	●○○	
Rinderbierschinken	30	58		●○○	●○○	
Rinderbraten gegart	125	196		○●○	●○○	
Rinderbraten mit Soße	350	515	0,4	●○○	●○○	○●○
Rinderfilet gegart	125	190		○●○	●○○	
Rinderfilet mit Soße	200	196	0,2	●○○	●○○	
Rindergulasch Konserve	150	188	0,3	●○○	●○○	○●○
Rindergulasch mf. gegart	150	270		●○○	●○○	○●○
Rindergulasch ungarisch	400	464	0,9	●○○	●○○	○●○
Rinderkotelett ma. gegart	150	242		○●○	●○○	
Rinderkotelett mf. gegart	150	275		●○○	●○○	
Rinderleber gegart	125	184	0,7	○●○	●○○	○●○
Rinderlende gegart	125	190		○●○	●○○	
Rindernacken Kamm ma. gegart	150	261		●○○	●○○	
Rindernacken Kamm mf. gegart	150	275		●○○	●○○	
Rinderroulade ma. gegart	150	227		○●○	●○○	
Rinderroulade mf. gegart	150	261		●○○	●○○	
Rinderrücken Roastbeef	125	163		○●○	●○○	○●○
Rinderschmorbraten mit Soße	350	378	0,6	●○○	●○○	○●○

Produktbezeichnung	Portion in g	kcal pro Portion	BE pro Portion	Fett-faktor	Satt-faktor	GLYX-faktor
Rinderschulter Bug ma. gegart	125	196		● gelb	● rot	● gelb
Rindersteak ma. gegart	150	242		● gelb	● rot	
Rindersteak mf. gegart	150	263		● gelb	● rot	
Rinderzunge gegart	125	235	0,5	● rot	● rot	● gelb
Rindfleisch gegart	150	270		● rot	● rot	
Rindfleisch Konserve	150	225		● rot	● rot	
Rindfleischsuppe Brühwürfel	5	7		● gelb	● rot	
Rippchen gekocht	250	415	0,2	● rot	● rot	
Risi Pisi Erbsenreis	250	228	3,6	● grün	● gelb	● rot
Ristorante Pizza, Dr. Oetker						
– Calzone Speciale	290	757	5,3	● rot	● rot	
– Funghi	365	865	6,8	● rot	● rot	
– Hawaii	350	770	7,4	● gelb	● rot	
– Mozzarella	325	897	6,6	● rot	● rot	
– Pasta	410	898	9,1	● gelb	● rot	
– Pollo	355	767	6,9	● gelb	● rot	
– Pomodori	345	745	6,8	● gelb	● rot	
– Prosciutto	330	752	6,8	● gelb	● rot	
– Quattro Formaggi	340	918	6,8	● rot	● rot	
– Quattro Stagioni	370	855	6,8	● rot	● rot	
– Salame	310	884	6,8	● rot	● rot	
– Speciale	330	842	6,7	● rot	● rot	
– Spinaci	390	870	7,0	● rot	● gelb	
– Tonno	355	973	7,2	● rot	● rot	
– Vegetale	385	793	7,4	● gelb	● gelb	
Roastbeef englisch	250	518		● rot	● rot	
Rocher	13	70	0,4	● rot	● rot	
Roggen Vollkorn	40	118	2,0	● grün	● grün	● gelb
Roggen Vollkorn gegart	180	169	2,8	● grün	● grün	● gelb
Roggenbrötchen	60	134	2,3	● grün	● grün	● gelb
Roggenmehl Typ 1150	10	32	0,6	● grün	● grün	● gelb
Roggenmischb. m. Sonnenbl.-kernen	45	102	1,6	● grün	● gelb	● gelb

Produktbezeichnung	Portion in g	kcal pro Portion	BE pro Portion	Fett-faktor	Satt-faktor	GLYX-faktor
Roggenmischbrot	45	95	1,7	🟢	🟡	🔴
Roggenvollkornbrot	50	94	1,6	🟢	🟢	🟡
Roggenvollkornschrotbrot	50	93	1,6	🟢	🟢	🟡
Rohkostsalat mit Dressing	150	35	0,3	🔴	🟢	🟢
Rohkostsalat mit Joghurt	150	33	0,3	🟡	🟢	🟢
Rohkostsalat mit Öl	150	47	0,3	🟡	🟢	🟢
Rohrnudeln	150	699	3,0	🔴	🔴	🟡
Rollmops	80	107		🟢	🔴	
Rolo Toffee	5	25	0,3	🟡	🔴	
Romadur 45 % F. i. Tr.	30	88		🔴	🔴	
Romanosalat	50	8		🟢	🟢	🟢
Roquefort	30	108		🔴	🔴	
Roquefortsalatdressing Fertigpr.	60	249		🔴	🔴	
Rosenkohl	150	54	0,4	🟢	🟢	🟢
Rosenkohl gedünstet	250	163	0,7	🔴	🟢	🟢
Rosenkohl gegart	150	42	0,3	🟢	🟢	🟢
Rosenpaprika	1	3		🟡	🟢	
Rosinen	25	75	1,4	🟢	🟡	🟡
Rosinenbrot	30	72	1,2	🟢	🟡	🔴
Rosinenbrötchen	45	114	2,0	🟢	🟡	🔴
Rosmarin frisch	5	3		🟡	🟢	🟢
Rosmarin getrocknet	1	3		🟡	🟢	🟢
Rostbratwurst	150	494		🔴	🔴	
Rösti	250	313	2,6	🔴	🟡	🟡
Rotbarsch gegart	180	101		🟡	🔴	
Rotbarsch geräuchert	75	86		🟡	🔴	
Rotbarsch paniert	200	360	1,2	🟡	🔴	🟡
Rotbarschfilet	150	161		🟡	🔴	🟡
Rotbarschfilet gegart	150	188		🟡	🔴	🟡
Rote Bete	150	63	1,0	🟢	🟢	🟢
Rote Bete gedünstet	250	148	1,6	🟡	🟢	🟢
Rote Bete gegart	150	48	0,8	🟢	🟢	🟢

Produktbezeichnung	Portion in g	kcal pro Portion	BE pro Portion	Fett-faktor	Satt-faktor	GLYX-faktor
Rote Bete Konserve netto	150	51	0,8	grün	grün	grün
Rote Betesaft	200	28	0,5	grün	rot	grün
Rote Grütze aus Fruchtsaft	250	248	4,9	grün	rot	gelb
Rotkappe frisch	100	14		gelb	grün	
Rotkohl gegart	150	27	0,3	grün	grün	grün
Rotkohl gesäuert	50	6		grün	grün	grün
Rotkohl Konserve netto	150	29	0,3	grün	grün	grün
Rotwein Mousse Premium-Mousse	100	185	1,8	gelb	rot	
Rotwein schwer	130	101	0,3	grün	rot	gelb
Rotweinsoße	60	34	0,3	rot	gelb	grün
Rotwurst	30	52		rot	rot	
Royal Advokaat, Langnese	70	140	1,4	gelb	rot	
Royal Jamaika, Langnese	70	155	1,7	gelb	rot	
Royal Schwarzwald, Langnese	70	127	1,5	gelb	rot	
Rüblitorte	120	323	3,9	gelb	gelb	
Rückenspeck Schwein	30	209		rot	rot	
Rührei	120	197		rot	rot	
Rührei mit Käse und Schinken	170	325		rot	rot	
Rührei mit Pfifferlingen	120	149		rot	gelb	
Rum	20	46		grün	rot	
Rumkugeln	20	81	1,1	gelb	rot	gelb
Rumpsteak mit Zwiebeln	300	429	0,2	gelb	rot	
Rumtopf	250	408	4,4	grün	rot	rot
Russisch Brot	5	19	0,3	grün	rot	rot
Russische Creme mit Schlagsahne	150	323	2,7	rot	rot	gelb
Russischer Zupfkuchen TK	105	284	2,9	gelb	rot	
S						
Saccharin Cyclamat Tabletten	1	1		grün	rot	grün
Saccharin Tabletten	1	1		grün	rot	grün
Sachertorte	120	404	4,6	rot	rot	gelb
Safran	1	3		grün	gelb	

Produktbezeichnung	Portion in g	kcal pro Portion	BE pro Portion	Fett-faktor	Satt-faktor	GLYX-faktor
Sago	10	34	0,7	○○🟢	🔴○○	🔴○○
Sahne Sprühsahne 30 % Fett	15	47	0,1	🔴○○	🔴○○	
Sahnekaramellen	5	18	0,3	○○🟢	🔴○○	🔴○○
Sahneschokoladeneis	100	258	1,8	🔴○○	🔴○○	○○🟢
Sahnesoße hell	60	52	0,2	🔴○○	🔴○○	
Salami	30	108		🔴○○	🔴○○	
Salami italienisch	30	99		🔴○○	🔴○○	
Salami ungarisch	30	110		🔴○○	🔴○○	
Salami, Du darfst	30	93		🔴○○	🔴○○	
Salatmayonnaise 50 % Fett	15	72		🔴○○	🔴○○	
Salbei frisch	5	3		🔴○○	○○🟢	
Salbei getrocknet	1	3		🔴○○	○○🟢	
Salmiakpastillen	10	30	0,6	○○🟢	🔴○○	
Salzburger Nockerln	200	422	2,9	🔴○○	🔴○○	○🟡○
Salzgebäck	25	87	1,6	○○🟢	🔴○○	🔴○○
Salzkartoffeln	250	170	3,0	○○🟢	○○🟢	🔴○○
Salzstangen	30	104	1,9	○○🟢	🔴○○	🔴○○
Sambal Oelek	20	28	0,4	○○🟢	○○🟢	○🟡○
Sanddornbeere	125	118	0,5	○🟡○	○○🟢	○○🟢
Sanddornbeere gegart	125	123	0,6	○🟡○	○○🟢	○○🟢
Sanddornsaft	200	174	1,0	○🟡○	🔴○○	○🟡○
Sandkuchen	70	308	2,6	🔴○○	🔴○○	○🟡○
Sandwich mit Geflügel u. Tomate	70	165	0,7	🔴○○	🔴○○	○🟡○
Sandwich mit Thunfisch u. Salat	70	186	1,2	🔴○○	🔴○○	○🟡○
Sandwich mit Tomate u. Mozzarella	70	127	0,8	🔴○○	🔴○○	○🟡○
Sanella	10	72	0,0	🔴○○	🔴○○	
Sardelle Konserve netto	65	66		○🟡○	🔴○○	
Sardellenpaste	15	29		○🟡○	🔴○○	
Sardine gegart	180	139		○🟡○	🔴○○	
Sardine geräuchert	75	95		○🟡○	🔴○○	
Sardine Konserve in Öl netto	60	100		○🟡○	🔴○○	
Sauce Béarnaise	60	251		🔴○○	🔴○○	

Produktbezeichnung	Portion in g	kcal pro Portion	BE pro Portion	Fett-faktor	Satt-faktor	GLYX-faktor
Sauce Hollandaise Konserve	50	56	0,2	rot	rot	
Sauerampfer	150	33	0,3	grün	grün	grün
Sauerbraten mit Soße u. Gemüse	350	399	1,0	rot	rot	gelb
Sauerkirschkompott	250	203	3,6	grün	gelb	gelb
Sauerkraut frisch	150	26		grün	grün	grün
Sauerkraut frisch gegart	150	26		grün	grün	grün
Sauerkraut Konserve netto	150	24		grün	grün	grün
Sauerkrautsaft	200	12		grün	grün	grün
Sauermilchkäse Magerstufe	30	39		grün	rot	
Saure Pommes	50	170	3,3	grün	rot	
Saure Sahne 10 % Fett	25	29		rot	rot	
Scampi	100	85	0,1	grün	rot	
Scampi in Tomatensoße	200	182	0,4	gelb	rot	gelb
Schaffleisch ma. gegart	150	270		rot	rot	
Schaffleisch mf. gegart	150	405		rot	rot	
Schafsherz gegart	125	203		rot	rot	
Schafsleber gegart	125	169	0,3	gelb	rot	gelb
Schafsmilch	150	144	0,6	rot	rot	gelb
Schalotte	30	7		grün	grün	grün
Schaschlik Grillsoße	20	15	0,2	gelb	grün	
Schaschlik m. Pommes fr. Ketchup	270	362	2,2	gelb	rot	gelb
Schaschlik mit Soße	250	508	0,5	rot	rot	
Schaumdessert Pulver Schokolade	3	11	0,2	grün	rot	
Schaumdessert Pulver Vanille	3	11	0,2	grün	rot	
Scheiblette	30	81		rot	rot	
Schellfisch gegart	180	88		grün	rot	
Schellfisch gekocht	200	180		grün	rot	
Schellfischfilet gegart	150	137		grün	rot	
Schichtkäse 10 % F. i. Tr.	30	26		rot	rot	
Schillerlocke geräuchert	75	122		grün	rot	
Schinken gekocht	30	34		gelb	rot	
Schinken gekocht geräuchert	30	36		gelb	rot	

Produktbezeichnung	Portion in g	kcal pro Portion	BE pro Portion	Fett-faktor	Satt-faktor	GLYX-faktor
Schinken roh geräuchert	30	35		🟡	🔴	
Schinkenspeck	30	46		🔴	🔴	
Schinkenspeck roh ungeräuchert	30	46		🔴	🔴	
Schinkenwurst roh	150	440		🔴	🔴	
Schlagsahne 30 % Fett	25	72		🔴	🔴	
Schlehe	125	86	1,2	🟢	🟢	🟡
Schlehensaft	200	150	2,2	🟢	🔴	🔴
Schleie gegart	180	61		🟢	🔴	
Schleie gekocht	200	162		🟢	🔴	
Schleie paniert	200	332	1,6	🔴	🔴	🟡
Schleienfilet gebraten	150	134		🟢	🔴	
Schlemmer Joghurt mit Frucht	175	186	2,0	🟡	🔴	
Schlemmerbombe Fürst Pückler Art	100	198	1,9	🔴	🔴	
Schlemmer-Filet, Iglo						
– Blattspinat	200	288	0,8	🔴	🔴	
– Bordelaise	200	332	1,0	🔴	🔴	
– Broccoli	200	218	0,7	🟡	🔴	
– Champignon	200	440	1,5	🔴	🔴	
– Dreierlei Käse	200	174	0,5	🟡	🔴	
– Italiano	200	230	0,3	🔴	🔴	
Schlemmer-Pfanne Helgoland TK	200	224	0,5	🔴	🔴	
Schmand 20 % Fett	25	51		🔴	🔴	
Schmelzflocken	10	35	0,5	🟡	🟢	
Schmelzkäse 20 % F. i. Tr.	30	57	0,2	🔴	🔴	
Schmelzkäse 45 % F. i. Tr.	30	86		🔴	🔴	
Schmierwurst fette Mettwurst	30	115		🔴	🔴	
Schmorgurkengemüse	250	68	0,5	🔴	🟢	🟢
Schnecken Burgunder Art	180	412	0,3	🔴	🔴	🟡
Schnecken gegart	50	32		🟢	🔴	
Schnittkäse 45 % F. i. Tr.	30	103		🔴	🔴	
Schnittlauch frisch	5	1		🟢	🟢	🟢
Schnittlauch getrocknet	1	2		🟢	🟢	🟢

Produktbezeichnung	Portion in g	kcal pro Portion	BE pro Portion	Fett-faktor	Satt-faktor	GLYX-faktor
Schnittlauchquark	90	103	0,2	🔴	🔴	
Schnittlauchquark mager	90	61	0,3	🟡	🔴	🟡
Schokokeks	5	24	0,3	🟡	🔴	
Schokokuss	20	87	1,2	🟡	🔴	
Schokolade	20	107	0,9	🔴	🔴	🟢
Schokolade Erdnuss	20	104	0,8	🔴	🟡	🟢
Schokolade Joghurt	20	70	1,2	🟡	🔴	🔴
Schokolade Mandel	20	104	0,8	🔴	🟡	🟢
Schokolade Marzipan	20	100	0,7	🟡	🟡	🟢
Schokolade mit Alkohol	20	69	1,1	🟡	🔴	🔴
Schokolade Mokka	20	104	0,9	🔴	🔴	🟡
Schokolade Nougat	20	103	0,9	🔴	🔴	🟡
Schokolade Nuss	20	87	1,3	🟡	🔴	🟢
Schokolade Traubennuss	20	87	1,3	🟡	🔴	🟡
Schokolade Vollmilch Nuss	20	104	0,8	🔴	🟡	🟢
Schokolade weiss	20	108	1,0	🔴	🔴	🟡
Schokoladencreme	200	352	2,9	🔴	🔴	🟡
Schokoladendragees	25	93	1,6	🟡	🟡	🔴
Schokoladeneis	100	191	1,8	🔴	🔴	🟡
Schokoladenkuchen	70	251	2,4	🟡	🔴	🟡
Schokoladenpudding	250	393	3,0	🔴	🔴	🟡
Schokoladensahnetorte	100	323	2,1	🔴	🔴	🟡
Schokoladensoße	60	47	0,6	🟡	🔴	🟡
Schokoladensoße Trockenpr.	10	16		🔴	🔴	
Scholle gefüllt	200	400	1,7	🔴	🔴	
Scholle gegart	180	99		🟢	🔴	
Scholle geräuchert	75	71		🟢	🔴	
Scholle paniert	200	352	0,8	🟡	🔴	🟡
Scholle Sylter Art TK	125	286	1,9	🔴	🔴	
Schollenfilet	150	135		🟢	🔴	
Schollenfilet gebraten	200	326	0,5	🔴	🔴	🟡
Schollenfilet gegart	150	158		🟢	🔴	

Produktbezeichnung	Portion in g	kcal pro Portion	BE pro Portion	Fett-faktor	Satt-faktor	GLYX-faktor
Schorle Weinschorle	200	74	0,2	🟢	🔴	
Schupfnudeln	200	254	3,6	🟢	🟡	🟡
Schupfnudeln Pfanni	163	564	9,0	🟢	🟡	
Schwarzwaldbecher mit Quark	350	462	4,8	🟡	🔴	🟡
Schwarzwälder Kirschtorte	120	296	2,1	🔴	🔴	🟡
Schwarzwurzel	150	26	0,2	🟢	🟢	🟢
Schwarzwurzel gegart	150	23		🟢	🟢	🟢
Schwarzwurzel Konserve netto	150	23		🟢	🟢	🟢
Schweinebacke gegart	150	479		🔴	🔴	
Schweinebauch fe. gegart	150	608		🔴	🔴	
Schweinebr. gepökelt geräuchert	125	174		🔴	🔴	
Schweinebraten gepökelt	125	171		🔴	🔴	
Schweinebraten Konserve	150	206	0,2	🔴	🔴	
Schweinebraten mf. gegart	125	271		🔴	🔴	
Schweinefilet gegart	125	183		🟢	🔴	
Schweinefleisch ma. gegart	150	263		🟡	🔴	
Schweinefleisch mf. gegart	150	326		🔴	🔴	
Schweinefleisch mf. gepökelt	150	225		🔴	🔴	
Schweinefl. mf. gepökelt geräuchert	150	230		🔴	🔴	
Schweinegulasch mf. gegart	150	326		🔴	🔴	
Schweinekotelett natur	200	434	0,8	🟡	🔴	🟡
Schweinekotelett paniert	200	524	2,3	🔴	🔴	🟡
Schweineleber gegart	125	154	0,3	🟡	🔴	🟡
Schweinelende ma. gegart	150	219		🟢	🔴	
Schweinelende mf. gegart	150	314		🔴	🔴	
Schweinenacken Kamm mf. gegart	150	360		🔴	🔴	
Schweineragout mit Kräutern	350	312	1,2	🟡	🟡	🟢
Schweineroulade gegart	150	263		🟡	🔴	
Schweinerücken mf. gegart	150	315		🔴	🔴	
Schweineschmalz	15	132		🔴	🔴	
Schweineschnitzel natur	160	278		🟡	🔴	
Schweineschnitzel paniert	180	428	2,1	🟡	🔴	🟡

Produktbezeichnung	Portion in g	kcal pro Portion	BE pro Portion	Fett-faktor	Satt-faktor	GLYX-faktor
Schweinesteak	150	218		🟢	🔴	
Schweinesteak mf. gegart	150	315		🔴	🔴	
Schwertfisch	150	174		🟡	🔴	
Schwertfisch geräuchert	75	92		🟡	🔴	
Seehecht gegart	180	106		🟢	🔴	
Seehechtfilet	150	138		🟢	🔴	
Seehechtfilet gegart	150	162		🟢	🔴	
Seelachs gegart	180	108		🟢	🔴	
Seelachs Konserve in Öl netto	60	88		🟡	🔴	
Seelachsfilet	150	123		🟢	🔴	
Seelachsfilet gegart	150	144		🟢	🔴	
Seeteufel	150	111		🟢	🔴	
Seezunge gebraten	200	294	0,2	🔴	🔴	
Seezunge gegart	180	121		🟢	🔴	
Seezunge gegrillt	200	224		🟢	🔴	
Seezunge geräuchert	75	66		🟢	🔴	
Seezungenfilet	150	125		🟢	🔴	
Seezungenfilet gegart	150	146		🟢	🔴	
Seezungenfilet mit Soße	200	226		🔴	🔴	
Sekt	100	79	0,3	🟢	🔴	🟡
Sellerieblätter frisch	5	1		🟢	🟢	🟢
Sellerieblätter getrocknet	1	3		🟢	🟢	🟢
Selleriecremesuppe	350	67	0,3	🔴	🟢	🟢
Sellerieknolle	150	29	0,3	🟢	🟢	🟢
Sellerieknolle gegart	150	23	0,2	🟢	🟢	🟢
Sellerieknolle Konserve netto	150	24	0,2	🟢	🟢	🟢
Sellerieknollensaft	200	32	0,3	🟢	🟢	🟢
Selleriesuppe	350	126	0,8	🔴	🟢	🟢
Semmelauflauf	300	726	6,9	🔴	🔴	🟡
Semmelbrösel	15	54	0,9	🟢	🟡	🔴
Semmelknödel	200	338	3,5	🟡	🔴	🟡
Senf mild	5	4		🟢	🟡	🟢

Produktbezeichnung	Portion in g	kcal pro Portion	BE pro Portion	Fett-faktor	Satt-faktor	GLYX-faktor
Senf scharf	5	4		gelb	gelb	grün
Senf süß	5	4		grün	gelb	grün
Senfgurke sauer	50	7		grün	grün	grün
Senfkorn gelb	1	5		gelb	gelb	
Senfpulver	1	3		grün	grün	
Senfsoße	60	45	0,3	rot	rot	gelb
Serbische Bohnensuppe	400	260	2,3	gelb	grün	gelb
Serbische Bohnensuppe Konserve	250	153	1,2	gelb	grün	grün
Serbisches Reisfleisch	350	301	2,8	gelb	rot	gelb
Sesam	10	56		gelb	gelb	
Sesam geröstet	10	59		gelb	gelb	
Sesamöl	12	106		gelb	rot	
Shake Cappuccino klein, Burger King	200	237	2,6	grün	rot	
Shake Erdbeer klein, Burger King	200	236	2,6	grün	rot	
Shake Schokolade klein, Burger King	200	250	2,8	grün	rot	
Shake Vanille klein, Burger King	200	187	1,6	gelb	rot	
Sherry trocken	50	59		grün	rot	
Sherry sweet	50	70	0,3	grün	rot	rot
Shrimps	100	91		grün	rot	
Shrimps gegart	100	93		grün	rot	
Shrimps Konserve netto	65	59		grün	rot	
Sirup	25	81	1,6	grün	rot	rot
Smacks	40	150	2,8	grün	rot	
Smarties	5	5	0,1	grün	rot	
Snickers	60	298	2,7	rot	rot	
Snickers Miniatures	7	35	0,3	rot	rot	
Softeis	75	97	1,6	gelb	rot	rot
Soja Bolognese Konserve	100	87	0,2	gelb	grün	grün
Sojabohne geröstet	25	90		gelb	grün	grün
Sojabohne getrocknet	50	208	1,2	grün	gelb	grün
Sojabohne Konserve netto	150	197	1,1	grün	grün	grün
Sojabohnen Pulver	1	4		grün	gelb	grün

Produktbezeichnung	Portion in g	kcal pro Portion	BE pro Portion	Fett-faktor	Satt-faktor	GLYX-faktor
Sojabrot	45	162		🟡	🟢	🟢
Sojaeiweiß	10	29		🟢	🟢	🟢
Sojafleisch Trockenprodukt roh	30	92	0,7	🟢	🟢	🟢
Sojalecithin	10	88		🔴	🔴	🟢
Sojamehl entfettet	10	20		🟢	🟢	🟢
Sojamehl halbfett	10	27		🟢	🟢	🟢
Sojamilch flüssig	150	228		🟡	🟢	🟢
Sojamilch milchsauer	150	228		🟡	🟢	🟢
Sojanudeln roh	60	195	2,6	🟢	🟢	🟢
Sojaöl	12	105		🟢	🔴	
Sojasoße	20	14		🟢	🔴	🟢
Sojasprossen	100	52	0,4	🟢	🟢	🟢
Sojasprossen gegart	150	69	0,4	🟢	🟢	🟢
Sojasprossen Konserve netto	150	62	0,4	🟢	🟢	🟢
Sojawurst Konserve	100	292	0,4	🔴	🔴	🟢
Solero Exotic	75	112	1,6	🟡	🔴	
Solero Shots	85	22	0,4	🟢	🔴	
Solero Shots Tropical	80	21	0,4	🟢	🔴	
Sonnenblumenkern	20	115	0,2	🟡	🟡	
Sonnenblumenkern geröstet	20	120	0,2	🟡	🔴	
Sonnenblumenöl	12	106		🟢	🔴	
Soße dunkel	60	70	0,3	🔴	🔴	🟡
Soße hell	60	44	0,3	🔴	🔴	🟡
Soßenbinder hell Trockenprodukt	10	35	0,7	🟢	🔴	
Spaghetti alla carbonara	250	515	3,8	🔴	🔴	🟡
Spaghetti Bolognese	250	338	2,8	🔴	🔴	🟡
Spaghetti mit Gorgonzola	250	400	4,0	🔴	🔴	🟡
Spaghetti Napoli	250	310	3,5	🟡	🟡	🟡
Spaghettifertiggericht m. Tomatenso.	250	325	4,4	🟡	🔴	
Spargel gegart	150	24	0,2	🟢	🟢	🟢
Spargel Konserve netto	150	23	0,2	🟢	🟢	🟢
Spargel mit Sauce Hollandaise	250	343	0,3	🔴	🔴	🟡

Produktbezeichnung	Portion in g	kcal pro Portion	BE pro Portion	Fett-faktor	Satt-faktor	GLYX-faktor
Spargelcremesuppe	300	252	1,3	●○○	●○○	○●○
Spätzle	50	176	2,8	○○●	○●○	●○○
Speck durchwachsen	30	44		●○○	●○○	
Speck durchwachsen roh geräuchert	30	96		●○○	●○○	
Speckkartoffeln	250	218	2,8	○●○	○○●	○●○
Speiseeis	75	64	0,8	●○○	●○○	○●○
Speisesalz	1	0		○○●	●○○	
Spekulatius	50	245	2,4	●○○	●○○	○●○
Spinat	150	26		○○●	○○●	○○●
Spinat gegart	150	29		○○●	○○●	○○●
Spinat Konserve netto	150	24		○○●	○○●	○○●
Spinat mit Sahne	100	38		●○○	○○●	○○●
Spinatpüreesuppe	350	182	1,3	●○○	○●○	○○●
Sprite	200	83	1,7	○○●	●○○	
Sprite light	200	2	0,0	○○●	●○○	
Spritzgebäck	50	266	2,2	●○○	●○○	○●○
Sprotte geräuchert	75	169		○○●	●○○	
Sprotte Konserve netto	65	138		○○●	●○○	
Sprühsahne 30 % Fett	15	47	0,1	●○○	●○○	
Stachelbeere	125	55	0,9	○○●	○○●	○●○
Stachelbeere gegart	125	58	0,9	○○●	○○●	○●○
Stachelbeere Konserve netto	125	99	1,8	○○●	○○●	○●○
Stachelbeerkonfitüre	25	68	1,4	○○●	●○○	●○○
Starkbier	330	198	1,3	○○●	●○○	●○○
Stärke	10	35	0,7	○○●	●○○	●○○
Steinbutt gebraten	200	240	0,2	○●○	●○○	
Steinbutt gegart brutto	180	74		○○●	●○○	
Steinbutt paniert	200	340	1,5	●○○	●○○	○●○
Steinbuttfilet gebraten	150	146		○○●	●○○	
Steinofenbrot	45	95	1,7	○○●	○●○	●○○
Steinpilz	100	20		○○●	○○●	○○●
Steinpilz gedünstet	200	142	0,4	●○○	○○●	○○●

Produktbezeichnung	Portion in g	kcal pro Portion	BE pro Portion	Fett-faktor	Satt-faktor	GLYX-faktor
Steinpilz getrocknet	25	37		grün	grün	grün
Steinpilzsuppe Trockenprodukt	25	94	1,1	gelb	rot	gelb
Steppenkäse 45 % F. i. Tr.	30	98		rot	rot	
Stickletti	25	89	1,4	grün	rot	
Stilton 60 % F. i. Tr.	30	138		rot	rot	
Stockfisch TK	150	500		grün	rot	
Storck Riesen	9	41	0,5	gelb	rot	
Storck Riesen Erdnuss	9	39	0,4	gelb	rot	
Streichmettwurst	30	111		rot	rot	
Streuselkuchen Hefeteig	100	376	4,5	rot	rot	gelb
Streuselteig Fertigmischung	60	311	2,5	gelb	rot	gelb
Studentenfutter	25	121	0,6	grün	gelb	grün
Stutenmilch	200	96	1,0	rot	rot	gelb
Sultaninen	25	75	1,4	grün	gelb	gelb
Sundae Eis, McDonalds						
– Erdbeer	150	225	3,5	grün	rot	
– Karamel	153	282	4,3	gelb	rot	
– Schoko	150	279	3,7	gelb	rot	
– Waffeltüte	96	153	2,1	gelb	rot	
Suppe hell gebunden	350	179	2,0	gelb	rot	gelb
Suppen Drink Broccolicreme	150	90	0,5	rot	gelb	
Suppen Drink mit Nudeln	150	20	0,3	rot	gelb	
Suppen Drink Tomatencreme	150	75	0,8	gelb	gelb	
Suppenfond Konserve	250	60	0,2	rot	gelb	
Suppengrün	100	24	0,3	grün	grün	grün
Suppengrün gegart	50	11		grün	grün	grün
Suppengrün getrocknet	5	11		grün	grün	grün
Suppengrün getrocknet gegart	50	33	0,4	grün	grün	grün
Suppenhuhn gegart	150	335		rot	rot	
Suppenwürze	1	2		gelb	rot	
Süßkirschkompott	250	215	4,0	grün	gelb	gelb
Szegediner Gulasch	350	284	0,7	rot	gelb	grün

Produktbezeichnung	Portion in g	kcal pro Portion	BE pro Portion	Fett-faktor	Satt-faktor	GLYX-faktor
T						
Tabasco	0	0		gelb	grün	
Tafelspitz mit Meerrettichsoße	400	628	1,3	rot	rot	gelb
Tafelwasser mit Kohlensäure	200	0		grün	rot	
Tagliatelle grün mit Muscheln	250	283	3,1	grün	rot	gelb
Tapioka	50	175	3,5	grün	rot	rot
Tartex						
– Delikatess Pastete	25	55	0,2	rot	rot	
– Exquisit Pastete	25	70	0,2	rot	rot	
– Primabella	25	70	0,3	rot	rot	
– Tomabella	25	60	0,3	rot	rot	
Tatar	100	113		gelb	rot	
Tatar gegart	100	145		gelb	rot	
Taube gegart brutto	150	330		rot	rot	
Tee grün	125	0		grün	rot	
Tee schwarz	125	0		grün	rot	
Tee schwarz mit Milch u. Zucker	125	13	0,2	gelb	rot	
Tee schwarz mit Sahne u. Zucker	125	21	0,2	rot	rot	
Tee schwarz mit Alkohol	125	19		grün	rot	
Tee schwarz mit Milch	125	3		rot	rot	
Tee schwarz mit Sahne	125	13		rot	rot	
Tee schwarz mit Zucker	125	10	0,2	grün	rot	
Teewurst	30	110		rot	rot	
Teewurst, Du darfst	25	77	0,0	rot	rot	
Teltower Rübchen	150	63	1,0	grün	grün	grün
Thomy Rot Weiss	5	21	0,1	rot	rot	
Thüringer Rotwurst fettarm	30	52		rot	rot	
Thüringer Rotwurst Konserve	30	72		rot	rot	
Thymian frisch	5	2		gelb	grün	grün
Thymian getrocknet	1	3		gelb	grün	grün
tic tac	0	2	0,0	grün	rot	
Tilsiter 45 % F. i. Tr	30	106		rot	rot	

Produktbezeichnung	Portion in g	kcal pro Portion	BE pro Portion	Fett-faktor	Satt-faktor	GLYX-faktor
Tintenfisch ganz fritiert	180	130	0,3	grün	rot	gelb
Tintenfisch gegart	150	143	0,3	grün	rot	gelb
Tintenfisch in Öl netto	60	88		gelb	rot	
Tiramisu Eis	70	82	1,0	gelb	rot	
Toast Hawaii	110	283	1,8	rot	rot	gelb
Toast m. Spargel, Schinken u. Käse	130	207	1,0	rot	rot	gelb
Toastbrot Vollkorn	30	72	1,1	grün	grün	gelb
Toastbrot weiß	30	76	1,2	grün	gelb	rot
Toffees	5	22	0,3	rot	rot	gelb
Toffifee	8	43	0,4	rot	rot	
Tofu fest	100	144		gelb	rot	
Tokayer	50	76	0,9	grün	rot	gelb
Tomaten-Gurkensal. m. Joghurtsoße	120	44	0,3	gelb	gelb	grün
Tomate	60	10		grün	grün	grün
Tomate gegart	150	30	0,4	grün	grün	grün
Tomate Konserve netto	150	23	0,3	grün	grün	grün
Tomatencremesuppe	300	198	0,7	rot	gelb	grün
Tomatenketchup	20	22	0,4	grün	rot	rot
Tomatenmark	15	11		grün	grün	grün
Tomatensaft	200	30	0,4	grün	rot	grün
Tomatensalat mit Salatöl	130	73	0,4	gelb	gelb	grün
Tomatensuppe gebunden	350	196	1,9	rot	rot	gelb
Topfenpalatschinken	250	488	4,6	rot	rot	gelb
Topfenstrudel	250	540	6,2	gelb	rot	gelb
Topinambur	200	62	0,7	grün	grün	gelb
Torteletts	25	53	0,7	gelb	rot	
Tortenboden Mürbeteig	120	611	5,8	gelb	rot	gelb
Tortencremepulver Schokolade	2	8		grün	rot	
Traubenkernöl	12	105		grün	rot	
Traubensaft weiß	200	150	3,0	grün	rot	rot
Traubenzucker	5	20	0,4	grün	rot	rot
Trinkjoghurt 1,5 % Fett	150	107	1,4	gelb	rot	

Produktbezeichnung	Portion in g	kcal pro Portion	BE pro Portion	Fett-faktor	Satt-faktor	GLYX-faktor
Trinkjoghurt 3,5 % Fett	150	132	1,4	🟡	🟠	
Trockenhefe	1	3		🟢	🟢	
Trüffel frisch	100	48	0,6	🟢	🟢	🟢
Trüffel getrocknet	5	7		🟢	🟢	🟢
Trüffel Konserve netto	100	46	0,6	🟢	🟢	🟢
Trüffelleberwurst	30	96		🟠	🟠	
Tunfisch	150	333		🟢	🟠	
Tunfisch gegart	150	380		🟢	🟠	
Tunfisch geräuchert	75	175		🟢	🟠	
Tunfisch Konserve in Öl netto	60	133		🟢	🟠	
Tunfischsalat mit Mayonnaise	100	144	0,2	🟢	🟠	
Twix	27	133	1,4	🟠	🟠	
Twix Miniatures	8	39	0,4	🟠	🟠	
Tzatziki	150	72	0,4	🟠	🟠	🟢
V						
Vanillecreme	200	274	3,5	🟠	🟠	🟡
Vanilleeis	100	178	1,7	🟠	🟠	🟡
Vanillekipferl	50	246	1,9	🟠	🟠	🟡
Vanillepudding	250	315	4,4	🟡	🟠	🟡
Vanilleschote	1	3		🟢	🟢	
Vanillesoße	60	58	0,6	🟠	🟠	🟡
Vanillezucker	5	20	0,4	🟢	🟠	🟠
Vegetar. Bratlinge Trockenprod.	30	89	1,3	🟢	🟢	🟡
Vegetarische Pastete	20	42	0,3	🟠	🟡	🟢
Venusmuschel	100	77	0,5	🟢	🟠	🟡
Venusmuschel Konserve netto	65	49	0,3	🟢	🟠	🟡
Vienetta, Langnese						
– Erdbeer-Joghurt	70	178	1,4	🟠	🟠	
– Schokolade	70	174	1,4	🟠	🟠	
– Vanille	70	181	1,3	🟠	🟠	
– Waldbeere	70	177	1,4	🟠	🟠	

Produktbezeichnung	Portion in g	kcal pro Portion	BE pro Portion	Fett-faktor	Satt-faktor	GLYX-faktor
Vitalis, Dr. Oetker						
– Früchte Müsli	40	127	2,0	🟢	🟢	
– Knusper Banane-Schokolade	40	179	2,3	🟡	🟡	
– Knusper Flakes	40	162	2,3	🟡	🟡	
– Knusper Honeys	40	164	2,2	🟡	🟡	
– Knusper Müsli	40	163	2,0	🟡	🟡	
– Knusper Schoko	40	167	2,1	🟡	🟡	
– Knusperkissen Erdbeer-Joghurt	40	178	2,4	🟡	🟡	
– Knusperkissen Nuss-Nougat	40	177	2,2	🟡	🟡	
– Knusperkissen Schoko	40	177	2,3	🟡	🟡	
– Knusperkissen Vanille	40	178	2,4	🟡	🟡	
– Müsli Plus	40	125	1,8	🟡	🟢	
– Schoko Müsli	40	164	2,1	🟡	🟡	
Vivana Erdbeer Joghurt, Schöller	89	125	1,4	🟡	🟠	
Vivana Stieleis Joghurt Himbeere	58	67	0,5	🟠	🟠	
Vollk.-pizza Tomaten Zwiebeln Oliven	250	393	2,9	🟡	🟡	🟢
Vollkornbrot	50	94	1,6	🟢	🟢	🟡
Vollkornbrot mit Leinsamen	50	98	1,5	🟢	🟢	🟡
Vollkornbrötchen	60	133	2,2	🟢	🟢	🟡
Vollkornkeks	50	236	2,2	🟡	🟡	🟡
Vollkornkeks mit Schokolade	10	47	0,5	🟡	🟡	
Vollkornnudeln roh	60	194	3,0	🟢	🟢	🟡
W						
Wacholder frisch	5	2		🟢	🟢	
Wacholderschnaps	20	42		🟢	🟠	
Wachsbohne	150	48	0,7	🟢	🟢	🟢
Wachsbohne gegart	150	48	0,7	🟢	🟢	🟢
Wachtel	150	263		🟡	🟠	
Waffeln gebacken	150	632	4,0	🟠	🟠	🟡
Waldorfsalat mit Mayonnaise	100	101	0,6	🟠	🟢	🟢
Waldpilz	100	15		🟡	🟢	🟢

Produktbezeichnung	Portion in g	kcal pro Portion	BE pro Portion	Fett-faktor	Satt-faktor	GLYX-faktor
Walnuss	20	131	0,2	grün	rot	grün
Walnussöl	12	105		grün	rot	
Wassermelone	125	48	0,9	grün	rot	gelb
Weichkäse 45 % F. i. Tr.	30	83		rot	rot	
Weihnachtsgewürzmischung	1	3		gelb	grün	
Weinbrand	20	47		grün	rot	
Weinbrandbohne	12	46	0,7	gelb	rot	rot
Weinkäse 45 % F. i. Tr.	30	87		rot	rot	
Weinschaumsoße	60	77	0,6	gelb	rot	gelb
Weinsuppe	300	99	1,9	grün	gelb	rot
Weintraube	125	89	1,6	grün	gelb	gelb
Weißbrot	30	71	1,2	grün	gelb	rot
Weiße Bohnen in Tomatensoße	250	145	1,6	grün	grün	grün
Weiße Rübe	150	39	0,6	grün	grün	grün
Weiße Rübe gegart	150	32	0,4	grün	grün	grün
Weißherbst	130	114	0,3	grün	rot	gelb
Weißkohl	150	38	0,5	grün	grün	grün
Weißkohl gegart	150	30	0,4	grün	grün	grün
Weißwein halbtrocken	130	96	0,3	grün	rot	gelb
Weißwein lieblich	130	127	0,6	grün	rot	gelb
Weißwein Mousse Premium-Mousse	100	185	1,8	gelb	rot	
Weißwein trocken	130	94		grün	rot	
Weißwurst Münchner Art	125	338		rot	rot	
Weizenbier	330	142	0,8	grün	rot	gelb
Weizenbier hell	330	125	0,8	grün	rot	gelb
Weizenflocken	40	125	2,0	grün	grün	gelb
Weizenflocken Vollkorn	40	125	2,0	grün	grün	gelb
Weizengrieß	40	130	2,3	grün	gelb	rot
Weizenkeim	10	31	0,3	grün	grün	grün
Weizenkeimöl	12	105		grün	rot	
Weizenkleie	5	9		grün	grün	
Weizenmehl Typ 1050	10	33	0,6	grün	gelb	rot

Produktbezeichnung	Portion in g	kcal pro Portion	BE pro Portion	Fett-faktor	Satt-faktor	GLYX-faktor
Weizenmehl Typ 405	10	34	0,6	○○●	○●○	●○○
Weizenmischbrot	45	99	1,7	○○●	○●○	●○○
Weizenvollkornbrot	50	106	1,7	○○●	○○●	○●○
Welsfilet	150	243		○●○	●○○	
Welsfilet gegart	150	242		○●○	●○○	
Wermutwein lieblich	50	78	0,6	○○●	●○○	○●○
Wermutwein trocken	50	63	0,4	○○●	●○○	○●○
Werthers Original	5	21	0,4	○●○	●○○	
Whisky	20	50		○○●	●○○	
Whopper, Burger King						
– doppelt	358	856	3,8	●○○	●○○	
– doppelt mit Käse	371	899	3,9	●○○	●○○	
– mit Käse	289	672	3,9	●○○	●○○	
Wiener Apfelstrudel	150	260	3,1	●○○	○●○	○●○
Wiener Schnitzel	150	317	2,2	●○○	●○○	○●○
Wiener Würstchen	70	213		●○○	●○○	
Wildente gegart	150	219		●○○	●○○	
Wildgulasch Hirsch Konserve	150	144	0,2	○●○	●○○	
Wildpilzmischung Konserve	100	59	0,6	○●○	●○○	○○●
Wildragout mit Soße	250	233	0,7	○●○	●○○	○●○
Wildschwein gebraten	125	181		○●○	●○○	
Wildschweinkeule	125	136		○●○	●○○	
Windbeutel	100	463	3,1	○●○	●○○	●○○
Wirsingeintopf mit Räucherspeck	450	275	2,2	○●○	○○●	○○●
Wirsingkohl	150	39	0,3	○○●	○○●	○○●
Wirsingkohl gegart	150	33	0,2	○○●	○○●	○○●
Wodka	20	46		○○●	●○○	
Worcestersoße	5	8		○○●	○○●	
Würstchen fettarm	70	176		●○○	●○○	
Würstchen im Schlafrock	125	436	1,5	●○○	●○○	
Würstchen Konserve	70	193		●○○	●○○	
Wurstsalat mit Öl	100	281		●○○	●○○	

Produktbezeichnung	Portion in g	kcal pro Portion	BE pro Portion	Fett-faktor	Satt-faktor	GLYX-faktor
Y						
Yakult	65	50	1,0	grün	rot	
Yakult Light	65	31	0,0	grün	rot	
Yes	38	175	1,7	rot	rot	
Yofresh Gurke Dill	30	45	0,3	rot	gelb	
Yogurette	13	69	0,6	rot	rot	
Z						
Zander gegart	180	83		grün	rot	
Zanderfilet gegart	150	144		grün	rot	
Zanderfilet paniert	200	340	1,6	rot	rot	gelb
Zartbitterschokolade	20	99	0,7	rot	grün	grün
Zichorienkaffee	125	4		grün	rot	
Zichorienkaffee trocken	3	10	0,2	grün	grün	
Ziegenmilch	150	104	0,6	rot	rot	gelb
Zigeuner Grillsoße	20	12		grün	grün	
Zimt	1	3		grün	grün	
Zimtsterne	15	68	0,5	gelb	gelb	gelb
Zitronat	5	15	0,3	grün	rot	rot
Zitrone	125	70	0,8	grün	grün	grün
Zitronencreme	200	440	5,9	gelb	rot	gelb
Zitroneneis	100	134	2,6	grün	rot	rot
Zitronenkuchen Fertigmischung	60	311	2,5	gelb	rot	gelb
Zitronenlimonade	200	58	1,2	grün	rot	rot
Zitronenmelisse frisch	5	2		grün	grün	grün
Zitronenmelisse getrocknet	1	3		grün	grün	grün
Zitronensaft	200	200	3,3	grün	rot	grün
Zitronenschale	5	4		grün	rot	
Zucchini	150	29	0,3	grün	grün	grün
Zucchini gegart	150	29	0,3	grün	grün	grün
Zucchinischeiben paniert gebraten	200	236	0,9	gelb	rot	grün
Zucker braun Rohzucker	5	20	0,4	grün	rot	rot

Produktbezeichnung	Portion in g	kcal pro Portion	BE pro Portion	Fett-faktor	Satt-faktor	GLYX-faktor
Zucker weiß	5	20	0,4	🟢	🟠	🟠
Zuckererbse	150	89	1,3	🟢	🟢	🟢
Zuckerguss	15	51	1,0	🟢	🟠	🟠
Zungenwurst hell	30	80		🟠	🟠	
Zwetschge	35	15	0,3	🟢	🟢	🟡
Zwetschge gegart	125	58	1,0	🟢	🟢	🟡
Zwetschge getrocknet	25	63	1,1	🟢	🟢	🟡
Zwetschge Konserve netto	125	99	1,8	🟢	🟢	🟡
Zwetschgenkuchen Hefeteig	150	252	3,5	🟡	🟡	🟡
Zwetschgennektar	200	108	2,1	🟢	🟠	🟠
Zwetschgenwasser	20	48		🟢	🟠	
Zwieback	10	37	0,6	🟢	🟡	🟠
Zwiebel	30	8		🟢	🟢	🟢
Zwiebel gegart	30	7		🟢	🟢	🟢
Zwiebel geröstet	50	48	0,4	🟡	🟢	🟢
Zwiebelbrot	30	68	1,2	🟢	🟡	🟠
Zwiebelgemüse mit Sahne	50	30	0,2	🟠	🟢	
Zwiebelkuchen	250	493	2,4	🟠	🟠	🟡
Zwiebelleberwurst einfach	30	99		🟠	🟠	
Zwiebelsoße	60	38	0,2	🟠	🟠	
Zwiebelsuppe klar	300	234	1,0	🟠	🟡	🟢
Zwiebelwurst	30	80		🟠	🟠	

Mit Erdbeersahnetorte zum Wunschgewicht

Wie viel Kilo weniger hat Ihr Wunschgewicht? 5, 10, 15 oder sogar 50? Dann fangen Sie an, zu essen. Essen Sie sich morgens, mittags, abends oder zwischendurch richtig satt – und nehmen Sie gleichzeitig jeden Monat ein, zwei oder sogar vier Kilo ab.

mealus – ein kleiner Ernährungs-Organizer, selbst nicht einmal 100 Gramm schwer – zeigt Ihnen wie:
Die "digitale Nährwerttabelle" begleitet Sie durch den Tag, speichert Ihre Lebensmittel und Mahlzeiten und sagt Ihnen auf Knopfdruck, wann Sie für den Tag genug an Kalorien und Nährstoffen haben oder was Ihnen vielleicht noch fehlt.

4.598 Lebensmittel sind im Speicher und können auf Kalorien, Eiweiß, Fett, Kohlenhydrate, Ballaststoffe, Vitamin C, Cholesterin, den Anteil an Obst und Gemüse sowie – für viele Diabetiker unverzichtbar – auf ihre BEs abgefragt werden.

Die Erdbeersahnetorte bringt es mit einem Stück beispielsweise auf 202 kcal, 3 g E, 11 g F, 24 g KH, 1 g Bal, 12 mg Vit C, 58 mg Chol und 2 BEs. Apropos BEs: 12 Gramm Kohlenhydrate sind 1 BE, Kommawerte werden mathematisch auf ganze Zahlen gerundet.

Mit mealus lernen Sie, wie man sich mit einem ausgewogenen Nährstoffverhältnis – mehr wertvolle Kohlenhydrate, ausreichend Fett und Eiweiß – schlank isst. Sie werden sich satt fühlen – keine Portionen, die diesen Namen nicht verdienen, keine Tagesbeschränkung auf hungrige 1.200 Kalorien oder magere 30 Gramm Fett. All das mag kurzfristig zu Erfolgen auf der Waage führen, langfristig aber nur zum Jo-Jo-Effekt – man wiegt schließlich wieder genauso viel oder sogar mehr als vorher. Stattdessen lernen Sie mit mealus, wie Sie täglich – mit allen persönlichen Vorlieben und Abneigungen – eine leckere und gesunde Mischung auf Tisch und Teller bekommen.

mealus

EINFACH SCHLAUER ESSEN

Impressum

Der Autor

Sven-David Müller ist seit 1989 Diätassistent und seit 1995 Diabetesberater der Deutschen Diabetes Gesellschaft (DDG). Er hat den Verband für Ernährung und Diätetik (VFED) e. V. gegründet und 10 Jahre als erster Vorsitzender geleitet. Nach einer zehnjährigen Tätigkeit am Universitätsklinikum der RWTH ist er jetzt bei der Gesellschaft Ernährungsmedizin und Diätetik e. V. in Aachen beschäftigt. Sven-David Müller ist selbst 1976 an Diabetes mellitus Typ 1 erkrankt. Als Medizinjournalist hat er mehr als 20 Bücher verfasst und ist Mitglied im Kollegium der Medizinjournalisten. Durch seine zahlreichen TV- und Radio-Auftritte, Vorträge sowie Beteiligung an Vorlesungen wurde er bundesweit als Ernährungs-, Diätetik- und Diabetes-Experte bekannt. Sven-David Müller ist »Fit for Fun«-Ernährungsexperte und tritt regelmäßig im Fernsehen auf.

Wichtiger Hinweis

Die im Buch veröffentlichten Ratschläge wurden mit größter Sorgfalt von Verfassern und Verlag erarbeitet und geprüft. Eine Garantie kann jedoch nicht übernommen werden. Ebenso ist eine Haftung der Verfasser bzw. des Verlages und seiner Beauftragten für Personen-, Sach- oder Vermögensschäden ausgeschlossen.

Quellen
Datengrundlage: Bundeslebensmittelschlüssel (BLS); Herstellerangaben: Mealus.

Bibliografische Information: Die Deutsche Bibliothek
Die Deutsche Bibliothek verzeichnet diese Publikation in der Deutschen Nationalbibliografie; detaillierte bibliografische Daten sind im Internet über http://dnb.ddb.de abrufbar.

Projektleitung: Kathrin Gritschneder
Redaktion: Astrid Büscher
Korrektorat: Katharina Harlfinger, Damla Özbay
Herstellung: Jörg Alt
Fotos: Photodisc
Umschlag: ZERO, München
Satz: Wilhelm Vornehm, München
Reproduktion: KaltnerMedia, Bobingen
Druck und Bindung: Printer Trento, Trento
Printed in Italy

ISBN 3-426-66816-5